Y0-CUN-278

ESCRITORES REPRESENTATIVOS
DE AMÉRICA
SEGUNDA SERIE

BIBLIOTECA ROMÁNICA HISPÁNICA

Dirigida por DÁMASO ALONSO

VII. CAMPO ABIERTO

LUIS ALBERTO SÁNCHEZ

ESCRITORES REPRESENTATIVOS DE AMÉRICA

SEGUNDA SERIE

✯ ✯ ✯

EDITORIAL GREDOS

© Editorial Gredos, Madrid, 1964.

N.º de Registro: 1999-63. — Depósito Legal: M. 1850-1963

Gráficas Cóndor, S. A. — Aviador Lindbergh, 5. — Madrid-2.   1876-64

XXXIII

PEDRO HENRÍQUEZ-UREÑA

(Santo Domingo, 29 junio 1884 — Buenos Aires, 12 mayo 1946)

El testimonio fraternal de Max Henríquez-Ureña y algunos apuntes dispersos del propio Pedro, nos ofrecen un cuadro casi completo de la formación intelectual de tan admirable humanista [1]. Su padre, don Francisco Henríquez y Carbajal, y su madre, doña Salomé Ureña, se distinguieron en el campo de la docencia; además, él, en el de la política, y ella, en el de la poesía. Su tío don Federico Henríquez y Carbajal, que alcanzó a pasar de los cien años, fue otro insigne quisqueyano, grande en el pensamiento y la conducta. Este último apadrinó a Pedro y le instruyó en muchos secretos del buenhacer. Los padres, tronco de una familia de tres hijos y una hija, Pedro, Max, Francisco y Camila, se esforzaron en adiestrar a sus vástagos en letras, honestidad y patriotismo. Pero, la verdad, cuando nació Camila, doña Salomé, que era una de las musas de Quisqueya, se hallaba tan a mal traer de los pulmones, que la familia decidió emigrar a Cap Haitien, en busca de sosiego y buen aire. Los azares del destino resolvieron que no pasaran de Puerto Plata,

---

[1] Max Henríquez-Ureña, *Pedro Henríquez-Ureña*, Colección Pensamiento dominicano, Ciudad Trujillo, 1950.

donde el letrado clan inauguró nueva era de inquietud y progreso espirituales para los platenses.

Pedro era el primogénito. Le seguía Max en un año y pocos meses. Esta pareja fraterna encontró su ruta en los libros. El segundón refiere que, siendo niño, devoraban las comedias de Shakespeare en la "encomiable traducción de José Arnaldo Márquez", poeta peruano a quien la suerte no trató con dulzura. La afición al tremendo inglés fue tanta en ambos niños, que cuando llegó a Santo Domingo el italiano Roncori, con su compañía de teatro, no cesaron de hostigar a don Francisco hasta que éste hizo que se representaran (y ellos asistieron a las representaciones) *Hamlet, Romeo y Julieta y Otelo*. Difícil cosecha aun tratándose de tan precoces sensibilidades.

Como para que no se adormecieran sus otros sentidos, les tocó vivir a los Henríquez-Ureña bajo la tiranía del famoso "Lilis", es decir, Ulises Heureux, feroz y pintoresco sátrapa sobre el cual hay tan vivas pinceladas en *La sangre*, novela de Tulio M. Cestero. Don Francisco era enemigo de las dictaduras y de "Lilis"; por tanto se sintió obligado a emigrar, propósito que, ya lo dijimos, se fortaleció con la idea de mejorar a doña Salomé.

Era ésta una mujer excepcional, dueña del corazón de sus compatriotas: no la regatearon homenajes. Sus hijos aprendieron de ella el amor a la poesía y, con eso, a la música. Siendo niños, Pedro y Max se dedicaron a organizar una antología de poetas de su país, que más tarde serviría a Pedro para mechar las columnas de un curioso diario manuscrito que publicaba hacia sus doce años: *La Patria*, periódico de tirada *record:* un solo ejemplar.

Se comprende que la melódica tribu inquietara el plácido ambiente de Puerto Plata durante su permanencia. Ahí fundaron una sociedad llamada "El siglo XX"; se consagraron a lecturas literarias y a tocar el piano, en que también se hizo notable Pedro, pues Max lo era por vocación y práctica. Fue entonces y ahí, cuando Pedro trabó pleno conocimiento con el modernismo y publicó una ya aguda crítica de Gutiérrez Nájera: impacto inolvidable. Fruto de tal contagio, Pedro escribiría versos. Los ha impreso ahora un amigo y compatriota: no se podría asegurar que revelen a un gran poeta, pero no se negará que retratan a un buen aficionado [2].

Heureux fue, por fin, asesinado el 26 de julio de 1899. Don Francisco y su familia pudieron regresar a la patria. Se entendió el primero con Honorato Vásquez, caudillo político, a quien sacaron de escena tres años después. En el entretanto don Francisco salió a los Estados Unidos, llevando consigo a Pedro, quien se radicó (1901) a los diecisiete años en Nueva York. No tardaron en surgir los días malos. Con la caída de Vásquez, la situación se puso mala. Pedro se empleó en una casa de comercio, mientras Max ejercía de pianista eventual en uno que otro restaurante: así se empieza la vida.

El año de 1904 encuentra a Pedro en la Habana. Ya había publicado diversos artículos, que reuniría en el libro *Ensayos críticos* [3]. Los principales trabajos que integran ese volumen están dedicados a José Joaquín Pérez, poeta dominicano, que fuera vecino de los Henríquez-Ureña, allá por el 95; Eugenio María de Hostos, el insigne puertorriqueño, a quien visitara la muerte en Santo Domingo el año 1903 y fuera íntimo amigo del padre y el tío Henríquez Carbajal; Rubén Darío, entonces en su aurora, y sendos estudios sobre D'Annunzio, Bernard Shaw, Oscar Wilde, Ricardo Wagner y Ricardo Strauss. La música andaba del bracero con la literatura para el joven Pedro: amor de siempre.

Puede decirse que los veinte años marcan a fuego al precoz humanista. Se fatiga de Cuba y se marcha a México, en cuya tropicalísima Veracruz se entretiene buen rato. Luego, se encamina a la capital. Son los días del segundo modernismo y del último Porfiriato. Pedro colabora en la *Revista moderna de México* y en *El Imparcial*. La juventud literaria de aquella hora la componen José Juan Tablada, Balbino Dávalos, "Chucho" Ureta, "Chucho" Valenzuela, "Chucho" Acevedo (egregio arqui-

---

[2] P. H.-U., *Poesías juveniles*, recogidas por E. Rodríguez Demorizzi, Bogotá, 1949.
[3] P. H.-U., *Ensayos críticos*, Habana, Imp. de E. Fernández, 1905.

tecto), Efrén Rebolledo, Alfonso Cravioto, Antonio Caso, Isidro Fabela, J. Fernández MacGregor, el muy joven Alfonso Reyes y el no menos precoz José Vasconcelos. Con ellos organiza Pedro la *Sociedad de Conferencias*, y, en 1909, el "Ateneo de la Juventud"[4]. Quien desee pormenores de esta última institución no tiene sino que hojear la obra de Alfonso Reyes, *Pasado inmediato*.

En 1910 rompió a hervir la Revolución Mexicana. Coincide con el Centenario de la Independencia. Pedro Henríquez-Ureña colabora con Nicolás Rangel y Luis G. Urbina, bajo el patronazgo de don Justo Sierra, en la tarea de confeccionar la *Antología del Centenario*. En ese mismo año las afamadas prensas de Ollendorf, de París, lanzan su segundo libro, *Horas de estudio: Estudios críticos de literatura y filosofía*. Si uno hace el balance de sus temas tendrá el prontuario de Pedro Henríquez-Ureña para todo su mañana. Helo aquí: el verso endecasílabo, Rubén Darío y el modernismo, "la vida intelectual de Santo Domingo", Hostos, Gaston Deligne, Gabino Barreda, Alfonso Reyes y Antonio Caso. En adelante irá ampliando y completando estos mismos temas, con perseverancia, pulcritud y originalidad indudables.

El "Ateneo de la juventud" fue una de las obras primordiales de Pedro Henríquez Ureña. Alfonso Reyes nos contaba, ya en 1939, la aptitud y autoridad socráticas del joven maestro dominicano. Un episodio lo demuestra. Cuando por esos años se realiza una velada literaria en el Teatro Arbeu de la Ciudad de México, a que se invita y asiste el general Porfirio Díaz, nuestro chispeante estudioso y erudito dominicano, de tez amulatada y apenas veintiséis años de edad, fue designado miembro de la Comisión de recibimiento al esquivo y solemne dictador. México no se entrega tan fácilmente. *Antología del Centenario* es otra prueba de aquella creciente estima a Pedro Henríquez. Quien conoce el significado de cada nombre se satisface con sólo oir el

---

[4] Alfonso Reyes, *Pasado inmediato*, Buenos Aires, Sur, 1941, y *Obras completas*, México, Fondo de Cultura, 1956, tomo XI.

del auspiciador y los de los ejecutores. Naturalmente, Pedro Henríquez-Ureña fue maderista. Les había nacido a los jóvenes mexicanos súbita fe en el pequeño y ardiente hacendado norteño galvanizador de la oposición antiporfiriana. Por eso, cuando, en 1913, se produce el inexcusable crimen de Victoriano Huerta contra Francisco I Madero y su vicepresidente, Pedro Henríquez-Ureña emigra asqueado más que temeroso a la Habana. Ahí encontraría a Manuel Márquez-Sterling, ex-ministro de Cuba en México, donde sirvió de postrer confidente al ya condenado a muerte —digo, asesinado— presidente Madero.

Por entonces, diciembre de 1913, en plena tragedia mexicana, publica su trabajo *Don Juan Ruiz de Alarcón,* de firme contenido, lleno de originalidad y de sagaces sugestiones. Pedro destaca al ilustre jorobado de entre los grandes dramaturgos españoles del Siglo de Oro para otorgarle o reconocerle su impar estilo americano, su gloriosa autenticidad mexicanísima. En ninguno de esos momentos ha dejado Pedro de ejercer el magisterio. Magisterio oficial, oficioso o inoficial, pero siempre magisterio. Enseñar y esparcir era y sería la gran pasión de uno de los hombres mejor dotados para las letras puras. El año de 1914, publica en Nueva York *El nacimiento de Dyonisos,* donde trata de iniciarnos en los misterios y posibilidades de la tragedia griega: nos dirá, empero, con prudente advertencia, que descarta el verso castellano por no encontrarlo capaz de penetrar en los hondones de la poesía helénica.

Cuando en 1916, a la mitad de una de las más terribles crisis de Santo Domingo, don Francisco Henríquez Carvajal se ve exaltado a la presidencia de la República, Pedro, su primogénito, no pierde la cabeza. Bien sabe que la investidura será de corta duración. Los yanquis de ese tiempo, bajo el insensato signo de "big stick", buscan fámulos, no estadistas. Don Francisco se niega a servir de comparsa a los "marines". Desde luego, eso le representa la inevitable pérdida de su cargo presidencial. Pedro, sumido ya en sus preocupaciones docentes, ha aceptado una cátedra en la Universidad de Minnessota. En aquella región helada, supongo olvidaría ciertas desagradables experiencias que un hombre de su raza y nación tuvo que sufrir en algunas otras partes más al sur de los Estados Unidos.

Todo lo anterior ocurre entre 1916 y 1918. Este último año es el de la fundación de la Comisión Nacionalista Dominicana en Nueva York, que reúne a los dos Henríquez Carvajal, a los Henríquez-Ureña, a Cestero y otros, empeñados en liberar a su patria de la ocupación de los "marines" anglosajones. Viajes de ida y vuelta a Washington; traducción de documentos; ejercicio de dialéctica; paciencia, rabia, actividad. No por eso descuida Pedro sus más caras predilecciones. La *Revista de Filología* de Madrid publica el año de 1919 su famoso estudio sobre *El endecasílabo castellano,* una extensión copiosa y madura del primitivo boceto de *Horas de estudio.* Al año siguiente, llamado por los especialistas madrileños, Pedro irá a la capital de España, donde publica, ese feliz 1920, su estupendo ensayo sobre *La versificación irregular en la poesía castellana.* De un aletazo ha escalado la cumbre de la autoridad preceptiva y lingüística. Don Ramón Menéndez Pidal, Américo Castro, el joven maestro Amado Alonso estimulan al hasta ahí cuasi desconocido escritor dominicano, el cual se vuelve a Minnessota, concluido su insigne periplo hispánico.

Para aquel tiempo, la revolución mexicana ha encarnado en el general Álvaro Obregón. Se funda la Secretaría de Educación Pública para entregarla al licenciado José Vasconcelos, reciente Rector de la Universidad de México. Vasconcelos llama a su antiguo amigo y maestro del "Ateneo de la Juventud", y luego lo incorpora a su séquito durante un movido e intenso viaje a la América del Sur. Es entonces cuando Pedro Henríquez-Ureña, apenas cuarentón, entra en estrecho y ya irrompible contacto con la Argentina. Las Universidades de La Plata y Buenos Aires le llaman a sus cátedras; se le ofrecerá otra en el Instituto de Filología, que dirige activamente Amado Alonso. Pedro empieza a cernir sus conocimientos y propagar sus lecciones.

Había conocido el año 21, en México, a un joven estudiante platense, flor de finura y de profundidad: Héctor Ripa Alberdi, y le cupo el honor, a Pedro, de escribir la exégesis de las *Obras completas* —¡ay, truncas!— del maestro adolescente. Desde entonces, La Plata aparece ante los ojos del dominicano como un escenario digno de Grecia. Todo ello resalta en los artículos con que exorna las páginas *Valoraciones, Sagitario* y otras revistas de la docta ciudad. El año de 1925 Pedro produce la primera versión de lo que siete años después será *Sobre el problema del andalucismo dialectal de América*. Henríquez-Ureña niega con vigor las imputaciones que en sentido afirmativo habían lanzado otros escritores. Ese mismo año 25 produce el corto ensayo-discurso *La Utopía de América,* lleno de la más auténtica savia rodoniana. El 27 publica sus *Apuntaciones sobre la novela en América,* de que disiento en su casi totalidad. El 28 da un libro fragmentario, pero, sin embargo, compacto y enjundioso: *Seis ensayos en busca de nuestra expresión* (B. A. B. E. L.). Para los que no habían tenido oportunidad de seguir el desenvolvimiento del pensamiento y el estilo de Henríquez-Ureña, aquel libro fue una revelación. Hasta ahora se le considera uno de los pedestales de su fama: el autor vale más.

Henríquez-Ureña cae absorbido por la docencia. Cierto que publica libros tan pulcros e imbatibles como *Para la historia de los indigenismos* (Buenos Aires, 1931) y *La cultura y las letras coloniales en Santo Domingo* (1936), desarrollo erudito y ameno de su juvenil trabajo *Literatura dominicana* (París, 1917), *El español en Santo Domingo,* etc. En medio de esos trabajos la vida de Pedro ha sufrido dos serios impactos: su breve regreso a la patria entre 1931 y 1933, como Superintendente General de Enseñanza, y la Revolución Española de 1936, que lo anegó literalmente, haciéndole gemir bajo su terrible peso.

La experiencia dominicana parece que hirió muy hondo a Pedro Henríquez. No olvidemos que, en 1930, a raíz de la crisis mundial se produjeron cambios más o menos radicales, pero todos de significado, en la mayoría de los países del continente. En la República Dominicana aparece entonces, como promotor de liberalismo (así: aunque se dude), el entonces comandante o coronel Rafael L. Trujillo Molina [5]. Muchos cre-

---

[5] Ejecutado el 30 de mayo de 1961.

yeron en la sinceridad de sus primeros actos, Pedro quizá, entre ellos. La desilusión no se hizo esperar, pero cavando inolvidables surcos en el alma del maestro. El resto lo hizo España. Personalmente recuerdo su pena y la angustia de las dolorosas esperas de noticias en la embajada republicana que regentaba Enrique Díez Canedo. Su participación en los homenajes a García Lorca. De todo ello, y de su acendrado amor a la patria de Unamuno y Menéndez Pidal da fe en su libro titulado Plenitud de España (Losada, 1940).

Bullía en el alma de Pedro Henríquez-Ureña una estupenda discusión entre el criollo americano, el descendiente de españoles y el conocedor de América Sajona. De ahí que cuando, en 1940, la Universidad de Harvard, honrando a nuestro más grande humanista, le ofrece una cátedra temporal, Pedro acude y elabora para ella las diez magistrales lecciones —capítulos— que constituirán su libro representativo Corrientes literarias en la América Española, aparecido en inglés el año de 1941, y en castellano solo póstumamente, 1949.

Pero pasó lo que tenía que pasar a hombre entregado de tan generosa y hasta desapoderada manera a la tarea de construir: se le fatigó el corazón. Andaba de la Ceca a la Meca, como prologuista, profesor, redactor de conferencias, director de colecciones literarias, corrector de sus pruebas, forjador de su angustia, de tal suerte que algo debía rompérsele dentro. Me lo insinuó la última vez que nos vimos en 1943. Pero nadie esperaba que, a consecuencia de una corta aunque rápida carrera para alcanzar el cotidiano tren que le llevaría de Buenos Aires a La Plata, un día de mayo de 1946, a los 62 años, y casi sin una cana, se le fuera a reventar el corazón. Fue un episodio paralizante. Tenía la mirada, la cabeza y los brazos en alto, colocando su maletín de trabajo en una de las redecillas del vagón consuetudinario: cayó como un soldado: de certero disparo: el que cuesta la vida.

Hay quienes, en excesos de adhesión tan criollos, imaginan a un Pedro Henríquez-Ureña, impecable y rectilíneo de pensamiento desde sus primeros días. Aparte de que si así ocurriese podría condenar *de facto* a un autor tan monótono, los hechos felizmente no secundan tan peregrina y aduladora idea. Pedro se contradijo y evolucionó como todo hombre inteligente, y más, puesto que fue en extremo talentoso y, por ende, cultísimo. Así le vemos cambiar desde sus comentarios sobre literatura dominicana, insertos en *Horas de estudio* (1910), hasta las buidas y densas páginas de *Las corrientes literarias en la América Hispana* (escritas en 1941). Lo primero aparece en una carta a don Federico García Godoy, titulada *Literatura histórica:*

> Atinadas son sus observaciones sobre el problema de la formación de una literatura nacional. Nuestra literatura hispanoamericana no es sino una derivación de la española, aunque en los últimos tiempos haya logrado refluir, influir sobre aquélla con elementos nuevos, pero no precisamente americanos. Suele decirse que las nuevas condiciones de vida en América llegarán a crear literaturas nacionales; pero, aun en los Estados Unidos, donde existe ya un arte regional, los escritores de mejor doctrina (y entre ellos Howells, el deán, el ilustre jefe de aquella república literaria) afirman que la literatura norteamericana no es sino una c o n d i c i ó n (una modalidad, diríamos nosotros) de la literatura inglesa.

Añade esto otro muy ilustrativo:

> Ya observó Rodenbach que los escritores de origen provinciano sólo saben sentir y describir la provincia después de haber vivido en la capital. Así, en nuestra América, solamente los que han comenzado por trasladarse intelectualmente a los centros de la tradición, los que han conocido a fondo una técnica europea, como conoció Bello el arte virgiliano, como conocen Ricardo Palma y D. Manuel de J. Galván la antigua prosa de Castilla, como conoció José Joaquín Pérez la lozana versificación del romanticismo español, como conoce Zorrilla de San Martín la espiritual expresión de la escuela heineana, han logrado darnos los par-

ciales trasuntos que poseemos de la vida o la tradición locales.

Pocos años después, en la conferencia pronunciada en la Librería General de México, el 6 de diciembre de 1913, sobre Ruiz de Alarcón, el escritor ha mudado de pensamiento, haciéndose más poroso a lo criollo. Dice:

> Vengo a sostener —nada menos— que don Juan Ruiz de Alarcón y Mendoza, el singular y exquisito dramaturgo, pertenece de pleno derecho a la literatura de México y representa de modo cabal el espíritu del pueblo mexicano.

Pedro Henríquez, en su incipiente madurez, echa por la borda prejuicios arraigadísimos como el de la "raza latina".

> Creo indiscutible la afirmación de que existe un carácter, un sello regional, un *espíritu nacional* en México. Para concebirlo, para comprenderlo hay que comenzar, a mi juicio, por echar a un lado la fantástica noción de *raza latina* a que tanto apego tiene el *demi-monde* intelectual.

Agrega:

> En México, como en toda la América de habla castellana, el elemento primordial es el español: el espíritu nacional no es otra cosa que el espíritu español modificado.

Lo cual calza en cierto modo con la muy posterior teoría de la trasculturación del cubano don Fernando Ortiz, mas, Pedro, a medida que avanza en su análisis de Alarcón, se va entusiasmando con sus hallazgos de originalidad o peculiaridades imbatibles.

Así, descubrimos la poesía mexicana desde que se define: poesía de tonos suaves, de emociones discretas... Si el paisaje mexicano, con su tonalidad gris, se ha entrado en la poesía, ¿cómo no había de entrarse en la pintura?... Hoy debemos pensar que no (que no es Alarcón un genio de corte...), ¿y no nos dan ejemplo los españoles mismos reclamando para su literatura a los Séneca y los Quintiliano, a Lucano y a Marcial, así como a Juvencio y a Prudencio?... Menos español que sus rivales: tampoco escapó al egregio Wolf el percibirlo, aunque se contentó con indicarlo al paso... sobre el ímpetu y la prodigalidad del español europeo que creó y divulgó el mecanismo de la comedia, se ha impuesto, como fuerza moderadora, la prudente sobriedad, la discreción del mexicanismo...

Como se ve, Pedro se aventura a acentuar la separación entre lo hasta entonces nada más que provincial-americano y lo psicológicamente americano. No pasarán en vano los años. Acabará, ya en la plenitud de su juicio y conocimiento, por destacar y reconocer la originalidad de lo nuestro. Ello ocurre sobre todo, en su último libro *Las corrientes literarias*. Dice:

En una época de duda y esperanza, cuando la independencia política aún no se había logrado, por completo, los pueblos de la América hispánica se declararon intelectualmente mayores de edad, volvieron los ojos a su propia vida y se lanzaron en busca de su propia expresión. Nuestra poesía, nuestra literatura, habían de reflejar con voz auténtica nuestra propia personalidad. Europa era vieja; aquí había una vida nueva, un mundo nuevo para la libertad, para la iniciativa, para la canción (p. 9).

Más adelante repite, como propias, las palabras del Doctor Johnson:

(América) dio un mundo nuevo a la curiosidad europea.

En varios lugares, y hasta hablando de la versatilidad de Lugones, de la lírica de Enrique Banchs (muy de segundo plano, por cierto), del neobarroquismo de Herrera y Reissig, Pedro Henríquez insiste en destacar la creciente originalidad de las letras latinoamericanas. Desde 1913 hasta su muerte persevera en ello. Se advierte a través de la obra de Pedro una constante perplejidad, un inevitable entrecruzamiento de tendencias y motivos: la filología le mantendrá fiel al alma de España, sobre todo al alma popular; el paisaje y la raza harán de él un criollo americano cien por cien; la convivencia con los medios universitarios norteamericanos, será origen de su disciplina crítica. Pero, por si ésta y los inevitables arcaísmos de todo filólogo hubiesen podido petrificar a Pedro (no es banal juego de palabras...), la Revolución Mexicana, en cuya navidad participara, sirvió para contrapesar cualquier proclividad reumática. A su turno, la remota ascendencia africana, típica de las Antillas, saldría a oponerse a todo síntoma de melancolía indígena o de soberbio estiramiento hispánico.

En la conferencia *La Utopía de América,* escrita al calor de las pláticas con Vasconcelos y para el severamente bullidor público estudiantil de La Plata, Pedro justifica lo anterior con palabras preclaras:

> Lo autóctono en México es una realidad; y lo autóctono no es solamente la raza indígena con su formidable dominio sobre todas las actividades del país, la raza de Morelos y de Juárez, de Altamirano y de Ignacio Ramírez; autóctono es eso, pero lo es también el carácter peculiar que toda cosa española asume en México desde los comienzos de la era colonial, así la arquitectura barroca en manos de los artistas de Taxco o de Tepotzotlan, como la comedia de Lope y Tirso en manos de don Juan Ruiz de Alarcón... Con fundamen-

tos tales, México sabe qué instrumentos ha de emplear
para la obra en que está empeñado; y esos instrumentos son *la cultura y el nacionalismo*... pero, la cultura
y el nacionalismo no los entiende, por dicha, a la manera del siglo XIX... Se piensa en la cultura social... Y
no se piensa en el nacionalismo político... El ideal *nacionalista* invade ahora, en México, todos los campos
(*Ensayos*..., Buenos Aires, Raigal, 1952, pp. 23-24).

El nacionalismo transcendental, podríamos llamarlo así, que
alienta la obra de Henríquez-Ureña, desemboca irremisiblemente
en un americanismo efusivo, lo que, utilizando un lenguaje característico de Rodó y sus discípulos, llamará Pedro "la utopía
de América"; lo que la generación siguiente calificaría de "nacionalismo continental" (J. Edwards Bello, *El Nacionalismo Continental*, Madrid, 1927 y Santiago, 1934).

Henríquez-Ureña se da cuenta, por cierto, de que la idea y
la palabra "utopía" contienen connotaciones riesgosas. Las defiende por tanto:

Sí, hay que ennoblecer nuevamente la idea clásica.
La utopía no es vano juego de imaginaciones pueriles,
es una de las magnas creaciones espirituales del Medi-
terráneo, nuestro gran mar antecesor. El pueblo griego
da al mundo occidental la inquietud del perfeccionamiento constante.

¿No es éste, acaso, el mismo lenguaje de *Ariel*? ¿No se explica entonces por qué Pedro escribirá *El Nacimiento de Dyonisos*, Reyes su *Ifigenia Cruel*, que Rodó pusiera como ejemplo
de América a Grecia; que Franz Tamayo parafraseara temas helénicos y finalmente aconsejara tomar por modelo de la vida pública y cultural a la vieja patria de Pericles?

La idea de que la cultura es el destino de América, otra característica arielista, aparece nítida en aquellas páginas de Pedro.
No las desmentirá el resto de su vida ni de su obra. ¿No sabe-

mos ya que murió camino de su cátedra y que hasta su último minuto cumplió tareas de maestro y escritor?
Sigamos oyéndole:

> Si el espíritu ha triunfado, en nuestra América, sobre la barbarie interior, no cabe temer que lo rinda la barbarie de afuera (Ensayos, 25).

Se transparenta en esa frase el optimismo del arielista que acaba de asistir, en México, a la derrota de las fuerzas retardatarias, representadas por la dictadura cerril y el imperialismo agresor. Dios le hubiera escuchado, haciéndonos helénicos...
Pedro soñaba en una recuperación del hombre como ser humano, y mejor dicho, en la "creación del hombre universal, por cuyos labios hable libremente el espíritu y que no será descastado" (Ensayos, 27). Aquí, sí, no sabemos quién inspiró a quién; si Vasconcelos a Pedro, o Pedro a Vasconcelos, para acuñar el lema de la Universidad Nacional de México: "por mi raza hablará el espíritu".

No obstante, estos arrebatos cósmicos encuentran sólida trabazón realista, en el origen indoafrohispano de Pedro. Leal a su medio y sus principios, dirá en su trabajo *La América española y su originalidad*:

> La conquista decapitó la cultura del indio, destruyendo sus formas superiores (ni siquiera se conservó el arte de leer y escribir los geroglíficos aztecas), respetando sólo las formas populares y familiares (Ensayos, 33).

El genio americano imprime su sello en las formas extranjeras menos adecuadas aparentemente a lo indio. El barroco americano posee rasgos intransferibles. Por eso, afirma Henríquez:

> de las ocho obras maestras de la arquitectura barroca en el mundo, dice Sachaverell Sitwell, el poeta arquitecto, cuatro están en México: el Sagrario Metropoli-

tano, el templo conventual de Tepotzotlan, la Iglesia parroquial de Taxco, Santa Rosa de Querétaro. El barroco de América difiere del barroco de España, en su sentido de la estructura, cuyas líneas fundamentales persisten dominadoras bajo la profusión ornamental: compárese el Sagrario de México con el Transparente de la Catedral de Toledo. Y el barroco de América no se limitó a su propio territorio: en el siglo XVIII refluyó sobre España (*Ensayos*, 35).

En otro trabajo *El descontento y la promesa*, escrito el año de 1922, insiste Pedro en la originalidad americana, destacando que "la forma (de los americanos) es clásica; la intención es revolucionaria". Puede y debe discutirse tal pensamiento. No dudamos de sus limitaciones, pero tampoco de su hondura y limpidez. Pedro, que tenía un sentido relativista de la historia y por tanto era un realista consumado, explica así su actitud:

Los inquietos de ahora se quejan de que los antepasados hayan vivido atentos a Europa, nutriéndose de imitación, sin ojos para el mundo que los rodeaba: pero olvidan que en cada generación se renuevan, desde hace cien años, el descontento y la promesa. Existieron, sí, existen todavía, los europeizantes, los que llegan a abandonar el español para escribir en francés, o, por lo menos, escribiendo en nuestro propio idioma, ajustan a moldes franceses su estilo y hasta piden a Francia sus ideas y sus asuntos. O los hispanizantes, enfermos de locura gramatical, hipnotizados por toda cosa de España que no haya sido trasplantada a estos suelos. Pero, atrevámonos a dudar de todo. ¿Estos crímenes son realmente insólitos e imperdonables? ¿El criollismo cerrado, el afán nacionalista, el multiforme delirio en que coinciden hombres y mujeres hasta de bandos enemigos, es la única salud? *Nuestra preocupación es de especie nueva*. Rara vez la conocieron, por ejemplo, los romanos: para ellos, las artes, las letras, la filosofía de los griegos eran la norma; a la norma sacrificaron, sin temblor ni queja, cualquier tradición nativa (*Ensayos*, p. 39).

Recapitulando esta "especie nueva", la caracteriza así: 1.º, por la fórmula de "la naturaleza", descriptiva por excelencia; 2.º, por la presencia del "primitivo habitante", o sea, el indio; 3.º, luego, "tras el indio, el criollo" y por último, una 4.ª forma es que, evitando al indio y al criollo, "su precepto único es ceñirse siempre al Nuevo Mundo en los temas, así en la poesía como en la novela y el drama, así en la crítica como en la historia".

Es en este punto donde empieza a destacarse el Henríquez-Ureña escritor, aspecto diferente al crítico y ensayista.

Oigámosle en su ya citado artículo *El descontento y la promesa*, fechado en 1922.

> Mi hilo conductor ha sido el pensar que no hay secreto de la expresión sino uno: trabajarla hondamente, esforzarse en hacerla pura, bajando hasta la raíz de las cosas que queremos decir; afirmar, definir, con ansia de perfección. El ansia de perfección es la única forma. Contentándonos con usar el ajeno hallazgo, del extranjero o del compatriota, nunca comunicaremos la revelación íntima; contentándonos con la tibia y confusa enunciación de nuestras intuiciones, las desvirtuaremos ante el oyente y le parecerán cosa vulgar.

Si recordamos a Manuel Díaz Rodríguez, otro modernista, en su famoso *Camino de perfección*, las *Palabras Liminares* de Darío en *Prosas Profanas*, y *La gesta de la forma* de Rodó, tendremos una brusca o paulatina iluminación. Pedro Henríquez, perteneciente a la segunda generación modernista, relaciona hasta identificarlas la obra americanista con la expresión original, y ésta con una forma no perfecta, pero sí *en busca de la perfección*. Confía entonces en la posibilidad de la "profesión literaria" que él

consideraba realizable ya en el Río de La Plata (1926), época del surgimiento de Güiraldes y el segundo Larreta, del nuevo Borges y del renovado Fernández Moreno.
Añade:

> Si las artes y las letras no se apagan, tenemos derecho a considerar seguro el porvenir.

Desde entonces, 1926, se divisa el propósito de Pedro de escribir una historia de la literatura americana.

Ya el año 25, en el artículo *Caminos de nuestra historia literaria* se rebela contra el exceso onomástico de algunos de nuestros historiadores literarios, señaladamente Ricardo Rojas y Carlos Roxlo. "Hace falta poner en circulación tablas de valores; nombres centrales y libros de lectura indispensable". "La historia literaria de la América Española debe escribirse alrededor de unos cuantos nombres: Bello, Sarmiento, Montalvo, Martí, Darío, Rodó" (*Ensayos*, p. 54). Salta a la vista la precipitación de esta nómina: ¿podría hacerse algo en América sin el Inca Garcilaso, Sor Juana Inés, Lizardi, Isaacs, González Prada, Palma, Machado de Assís, Herrera y Reissig?

Ahí mismo, Henríquez-Ureña, que intenta una clasificación en cinco zonas de la literatura de América, confiesa que nuestra discrepancia de España es sólo "porque no puede menos de distinguirse"; y que tenemos tipos de literatura nacional, con rasgos peculiares. Añade en seguida algo fundamental sobre la supuesta *exuberancia* de América Latina, voceada por d'Ors, Ortega, el propio Reyes y otros: la niega sencillamente. La niega porque "los exuberantes son los ignorantes e imperfectos, de quienes no conviene hacer paradigmas": "No llegaremos nunca a trazar el plano de nuestras letras, si no hacemos previo desmonte". Agrega: "Si exuberancia es fecundidad, no somos exuberantes"... Si fuese verbosidad, no puede medirse con igual rasero a unos y a otros. La literatura española, acusa Pedro, es mucho más verbosa que la americana (me parece que eso va de suyo, sin requerir comprobaciones). Reacciona también Pedro contra la pretensión de algunos chilenos, argentinos y uruguayos, que dividen la América literaria en una *buena* y otra *mala,* o una seria y otra no seria, y para eso apela a claros ejemplos: al tropical Sarmiento y al clásico Darío, nacidos el uno en medio europeizante y el otro en pleno trópico.

Henríquez-Ureña se preocupa por ese tiempo de la ausencia de novela bajo el Virreinato (*Apuntaciones sobre la novela en América*). Sus razones no son las mías, ni corresponden a la realidad. Sería ya necio insistir en probar que la prohibición de libros de imaginación bajo el coloniaje fue más formal que real, y que fundar por tanto la teoría de que no se escribieron los libros imaginativos porque no circulaban libros imaginativos, cae de su base por cuanto es evidente que tales libros, aunque no se produjeron, sí circularon.

Finalmente, así desemboca Henríquez-Ureña en *Las corrientes literarias,* libro cernido, serio, macizo y leve, que justifica todas sus teorías de crítica literaria, aunque a renglón seguido, la incompleta *Historia de la cultura en la América Hispana* (1947) da curso a los defectos que él mismo censuraba en los otros, pues amontona datos sin gran cernimiento valorativo; evidentemente se trataba de apuntes, no de un texto definitivo.

¿Quiénes fueron los paradigmas literarios de Pedro, en nuestra América?

Ante todo Martí, con prioridad hasta sobre Darío. Después Sarmiento, Hostos, Montalvo, González Prada.

Esta enumeración no es casual. Henríquez-Ureña vivió su juventud en una tierra caliente de sol y de rebeldes: de ahí los vocablos *descontento* y *promesa* que titulan uno de sus primeros ensayos.

En semejante ambiente, la conducta cuenta más o tanto como el talento. La admiración por Martí se ve bien clara en una de sus cartas a Henríquez Carvajal:

> Pudo Martí como Rubén Darío, sacrificarlo todo al solo ideal de ser poeta; pero, antes quiso acatar normas

de honrado; y el deber y el amor se le agrandaron: se completaron en la devoción de su tierra.

El juicio es exacto, aunque no original.

Frente a Martí, la admiración de Pedro por Rodó resulta estrictamente discipular. Aunque apele al "heroísmo" caryliano, el hecho es que la influencia de esa "alma escrita", no ejerce sobre Pedro el sortilegio de esa otra "alma viviente" que fue la de Martí. Bien claro queda esto en la conferencia sobre Rodó, pronunciada en México, el año de 1910. Fue el uruguayo uno de los hombres que más influyó por medio de su "palabra escrita": de esta suerte queda libre el campo para Martí, para Hostos, para González Prada, para Sarmiento mismo, paridores de actitudes y paradigmas de conducta.

Al terminar *Las corrientes literarias*, libro cuasi póstumo, Pedro Henríquez desliza apareadamente dos conceptos esenciales:

> Su obra (la de los pintores mexicanos) es así, al mismo tiempo, una conquista artística singular, y, en lo que tiene de amor al pasado y al presente de la América hispánica, una ayuda única en su esfuerzo hacia una mayor libertad y una civilización mayor (p. 205).

Hay una página de Cervantes en que también, a su tiempo, junta los conceptos de *libertad* y *cultura*, como rima perfecta y hasta inevitable. Pedro Henríquez repite la hazaña, naturalmente, como hombre de una época surgida de ambas realidades. El capítulo "Problemas de hoy" destaca la ya incipiente división del trabajo en el campo intelectual; la posibilidad de realizar una literatura pura; la inevitabilidad de ligarse a la tierra. Las realidades sociológicas (analfabetismo, dictadura, explotación del hombre por el hombre, hegemonía norteamericana, etc.) son juzgadas como parte integrante del cuadro cultural. La Reforma Universitaria, el despertar nacionalista, la Revolución Mexicana, todo ello es considerado con atención por el maestro. Insiste en que todos, cada cual a su manera y con sus fuerzas, trabajaron y trabajan "en busca de nuestra expresión". También él, y muy señorialmente.

Al lado del escritor y del crítico, vivía en Pedro Henríquez-Ureña el hombre, ciudadano pulcro, sencillo, severo y jovial. No sabría decir qué es lo más impresionante y fecundo en él: si el *hombre escritor* o el hombre vivido.

A mí se me hace que el último supera con mucho al primero. Y diré por qué y cómo:

Pedro Henríquez-Ureña era un ser dotado con superabundancia del difícil don de la sensibilidad y la ternura. He recordado el corto episodio en que me hizo partícipe de sus angustias pre-mortales. Hay otro instante en que le vi por entero en su fraternidad esencial. Alguien que me era muy caro sufrió un accidente y hubo de pasar horas de mortal vacilación entre la vida y lo que le sigue. Pedro Henríquez-Ureña, que supo el incidente, acudió silencioso, pero solícito y eficaz a acompañar mi pena. Le vi igual en otras circunstancias: por ejemplo, ayudando a los desterrados de varios países. Era Pedro un ser impar. Sabía tanto como sentía. ¿Debo confesar que me tuvo ganado a su amistad desde que le conocí? Sabiendo todo lo que sabía, jamás hizo alarde de sapiencia. Poseía un agudo y amplio criterio del magisterio, del apostolado. No existe página suya que no tenga el aval de su propia conducta. De ahí que los latinoamericanos que le conocimos y por tanto quisimos, no nos consolemos de su partida y admiremos irremediablemente su obra de esparcidor de semillas, de sembrador de inquietudes y certezas.

No fue nunca un político, pero tuvo el sentido de la libertad y lo defendió contra viento y marea.

Creyó en la capacidad de ejemplarizar. Fue un permanente descubridor de lo propio y ajeno. Admitió sin resabios lo nimio y lo grande, si algo valía.

De sus propios errores emerge el edificio de sus innumerables aciertos. Sin querer ser estilista, adquirió y lució un estilo del que no se le podrá desposeer jamás.

Nada señala mejor su equilibrio, su eficacia, su incentivo que la cantidad de discípulos suyos que le tratan de soslayar, para dar así firme base al amargo decir de Nietzsche: "Mis discípulos son los que me niegan". Pudo agregar: "y los que tratan de olvidarme", para ser justo y cabal.

XXXIV

EDUARDO BARRIOS [1]

(Valparaíso, 25 octubre 1884)

Entre todos los novelistas latinoamericanos, es evidente que Eduardo Barrios, tiene un relieve singular. Algunos críticos lo consideran el más depurado del continente y, desde luego, entre los mejores del idioma. Si ahora se le olvida un poco, ello se debe a que su fama creció a fuerza de escritor, no de folklorista que es lo prevaleciente. Mientras algunos se levantan sobre los hombros de un regionalismo, no por transcendental, menos anecdótico, el de Barrios se forjó encarándose a las almas. De ahí que cuando Américo Castro colocó a *El hermano asno* a la ca-

---

[1] Obras de Eduardo Barrios: *Del natural* (cuentos), Iquique, 1907; *Mercaderes en el templo* (teatro), Santiago, 1910; *Lo que niega la vida. Por el decoro* (comedias originales), Santiago, 1913; *El niño que enloqueció de amor*, Santiago, 1915; *Vivir* (drama en tres actos y en prosa), prólogo de Domingo Melfi, Santiago, 1916; *Un perdido* (novela), Santiago, 1917; *El hermano asno* (novela), Santiago, 1922. — Traducción: Guerra Junqueiro, *Sus mejores poemas*, Selección de Eduardo Barrios y Roberto Meza Fuentes, Santiago, Nascimento, s. a. (¿1922?); *Páginas de un pobre diablo* (novelas cortas), Santiago, 1923; *Y la vida sigue...* (novelas cortas), prólogo de Gabriela Mistral, Buenos Aires, 1925; *Tamarugal. Una lejana historia entre dos cuentos que le pertenecen*, Santiago, Pacífico, 1944; *Teatro escogido*, Santiago, 1947; *Gran señor y rajadiablos* (novela), Santiago, Nascimento, 1948; *Los hombres del hombre* (novela), Santiago, 1950.

beza de la novelística americana, muchos se sorprendieron, pues se hallaban en plenitud el renombre de Mariano Azuela, Ricardo Güiraldes, Rómulo Gallegos, José Eustasio Rivera y, por consiguiente, vivíamos una hora literaria de afirmación o redescubrimiento geográfico y populista, absolutamente ajenos al estilo y la temática de Eduardo Barrios. Ahora, pensándolo mejor o *pesándolo* mejor —que da lo mismo— me atrevería a rehacer mi juicio de ayer frente a no sólo aquella novela del chileno, sino a otras como *El niño que enloqueció de amor, Gran señor y rajadiablos* y, hasta cierto punto, *Los hombres del hombre*.

La sensibilidad de Barrios tampoco se conforma con el pulso general de la novelística chilena. Ésta ha manejado un instrumento naturalista y a veces sociologizante, que Barrios evita. Pues hasta cuando roza algunos problemas sociales como en *Tamarugal* y *Un perdido* por ejemplo, Barrios lo hace desde un ángulo siempre literario y psicológico, o, con mayor exactitud, desde un ángulo estético.

Es su diferencia con la mayoría de sus coetáneos y seguidores, lo que le separa de Maluenda y hasta de D'Halmar, al igual que de Manuel Rojas y de Salvador Reyes, pese a la penetrante fantasía del segundo. En Barrios hay un como adensamiento de los factores psicológicos, un regusto por violar las almas, sin otro afán que saberse dueño de ellas, sin pretender goces ni magisterios por lo común enfermizos y enfadosos, como suele ocurrir con los psicologistas de la escuela francesa de Paul Bourget. Pienso que en ello ha influido en Barrios su ascendencia y su educación limeñas, más sutiles y a menudo barrocas, que las chilenas. El ambiente de corte pesa y no pasa. Imprime carácter. Parece que ello se demostraría en el caso de nuestro autor.

Eduardo Barrios nació en Valparaíso, el 25 de octubre de 1884, de padre chileno y de madre peruana. Eran los tiempos menos propicios para este tipo de uniones, pues, precisamente, en ese mismo año de 1884, fue ratificado el Tratado de Ancón que dio término a la guerra entre Perú y Chile, y las tropas chilenas acababan de desocupar Lima. La madre, doña Rosa Hudtwalcker, tenía sangre suiza y alemana; estaba vinculada a viejas familias limeñas. Sin duda, fue un matrimonio frenético de amor, realizado a pesar de las diferencias inevitables y los hondos desacuerdos y hasta hostilidades producidas en las gentes, sobre todo en las peruanas, por los sucesos políticos y militares. Chile estaba embriagado de su triunfo. Eduardo Barrios contaba apenas cinco años, cuando falleció su padre. Inmediatamente la madre se embarcó de regreso a Lima, llevando consigo al niño.

La niñez y la adolescencia de Eduardo transcurrieron, pues, en la capital del Perú. Sus amigos fueron limeños y de cierta alcurnia social e intelectual, pues pertenecían a la clientela del Colegio de los Sagrados Corazones (Recoleta), dirigido por los llamados en Chile "Padres Franceses", orden esencialmente dedicada a la docencia, fundada en Francia como grupo religioso de resistencia a los excesos ateos de la Revolución de 1789 y su secuela. En aquel colegio recibió toda su instrucción, tanto primaria como secundaria. Fueron compañeros de aula Francisco y Ventura García Calderón, José de la Riva Agüero y Osma, Pedro Yrigoyen, Díez Canseco, Juan Bautista de Lavalle, Manuel Gallager Canaval, todos nombres ligados a la cultura peruana o, al menos, como en el último caso, al foro y la política. Hay una fotografía de esos años en que Barrios aparece vestido de paje, muy en blanco mayor, al lado de dichos amigos suyos, miembros casi todos de la aristocracia o "crema" de Lima.

A los quince, Eduardo Barrios, llamado por su familia paterna, retornó a Santiago. El regreso a Chile puede haberse realizado, pues, hacia 1900. Doña Rosa Hudtwalcker debió sentir una pena inmensa al ver que su hijo abandonaba la que ella sin duda consideraba su verdadera patria, el Perú. Prueba de que algo así ocurrió es que, apenas vuelto a Chile, la familia paterna se empeñó en que el niño siguiera la carrera de las armas y lo obligó a matricularse en la Escuela Militar. Era un modo de continuar tradiciones familiares y, al mismo tiempo, de precisar y subrayar el patriotismo chileno que tenían decidido inculcar en Eduardo, temerosos acaso de que la estancia en Lima hubiera borrado la imagen de la tierra nativa. Barrios nos dice en unas bellas páginas autobiográficas tituladas Y la vida sigue, que aquel asomamiento suyo a una carrera tan ajena a sus gustos fue "por presión de la familia", y que, como no cuadraba a su temperamento, abandonó la Escuela Militar y se lanzó a edificar su destino por sus propias fuerzas.

Los Barrios Hudtwalcker no tenían bienes de fortuna, pero a Eduardo le sobraba audacia. Actitud rara, porque, al par que audaz, tenía un modo encogido, cortés, muy puntilloso. Disputaban su alma la afición al atletismo y la aventura, al mismo tiempo que la adhesión a los modos finos y a la contemplación un tanto beata de la vida. Sucesivamente, en su afán de forjarse un porvenir, recorrió la selva peruana como cauchero (eran los días de la locura del caucho), fue buscador de minas en Collahuasi (Bolivia), tenedor de libros en las salitreras de Antofagasta e Iquique, compañero de ruta de un circo en el que algún día apareció como levantador de pesos; por último, después de aquel accidentado y voluntarioso periplo, regresó a Santiago y se aquietó, al menos por fuera: la marmita había roto a hervir por dentro.

El primer libro de Barrios, titulado Del natural, es una colección de cuentos publicada en Iquique el año 1907. Su reingreso a la vida capitalina debió de haberse producido por ese tiempo. Podríamos afirmar que ocurrió cuando comenzaba a constituirse el grupo de "Los Diez", o sea, cuando fue superada la guerrilla literaria entre zolaenses y tolstoyanos.

Las ocupaciones de Barrios son más apacibles: empleado de la Universidad de Chile, cierta actividad como autor de teatro, lo cual se confirma con la aparición de la comedia Mercaderes del templo (1910) y el volumen Lo que niega la vida (1913), donde reunió dos piezas de teatro. El primer ensayo novelesco —¡y qué ensayo!— no aparecerá hasta 1915, año del surgimiento de Gabriela Mistral, como vencedora en un concurso organizado por "Los Diez", con "Los sonetos de la Muerte": el libro consagratorio de Barrios será El niño que enloqueció de amor, perenne joya de antología.

La actividad literaria concentra al parecer la vida entera de Barrios durante los próximos diez años. En la superficie no le ocurre nada. Se casa, tiene hijos, asiste a su oficina, colabora en algunos diarios y revistas. Nada le apasiona, sino su obra que, por cierto, va siendo jalonada por títulos tan significativos como *El niño que enloqueció de amor*, el drama *Vivir* (1916), la novela *Un perdido* (1917), en que ensaya el tipo naturalista, a base de su propia experiencia y tal vez como respuesta a *El inútil* (1910) y *El monstruo* (1912) de Joaquín Edwards Bello y premonición de *La cuna de Esmeraldo* de que emergerá *El roto* (1918) del mismo Edwards Bello.

Poco después, en 1922, Barrios publica *El hermano asno*; en seguida, los relatos de *Páginas de un pobre diablo* (1923); luego, *Y la vida sigue...*, con prólogo de Gabriela Mistral (1925). Barrios es editado y reeditado en España, Argentina y desde luego en Chile. Su nombre y su prestigio crecen. Como tenía que ocurrir, crece también su ambición. El fantasma de la política se cierne sobre el escritor. Un grupo de militares y jóvenes ha decidido romper el equilibrio constitucional de Chile en nombre de un principio de autoridad no por efectivo menos peligroso. Barrios se entusiasma.

En ese período le nombran director de Bibliotecas, Archivos y Museos: El Presidente Ibáñez le llama a colaborar como Ministro de Educación. Sufre graves campañas y decepciones. Comete algunos errores públicos. No tarda en retornar a la Biblioteca. Cuando la normalidad institucional se restablece, Barrios decide dedicarse al campo. Arrienda una parcela en el Valle Central. Poco después acepta ser administrador de un fundo de proporciones. Se ha casado por segunda vez. Empieza a hacerse más reflexivo. Se retira a la vida rural. Lee, monta a caballo, hace cuentas, colabora con breves artículos en el diario *Las últimas noticias*, recibe amigos, discute. En apariencia el escritor se ha adormecido o muerto. Pero, aquella nueva experiencia le transforma por dentro, junta materiales y así se van formando dos libros que serán signo de resurrección: *Tamarugal* (1944), un poco rudo, sobre su vida en la pampa salitrera, y *Gran señor* y *rajadiablos* (1948), en que recoge su vasto y contradictorio aprendizaje de patrón de fundo. Lo que después produzca, antes de sufrir un largo silencio, será una obra de fino cernimiento psicológico, *Los hombres del hombre* (1950).

Poco después, el mismo gobernante que le llamó a Ministro en 1928, regresa a la Presidencia y le designa Director de la Biblioteca Nacional (1953). En vísperas de cumplir los ochenta, el autor de *El hermano asno* ha vuelto al sosiego, al activo sosiego de sus cuarenta, obligado a replegarse sobre su mundo interior, a causa de dificultades visuales que le obstaculizan la tarea de ayer.

* * *

La fuerza y la gracia de Barrios residen en su estilo, en su manera de narrar [2]. Pertenece a un grupo que se caracterizó por su acendrado culto de la palabra, de la frase musical, de la insinuación; modo que utiliza inclusive al encarar temas de corte naturalista como en *Un perdido*.

Predomina además en él la tendencia psicológica y la sugestiva o sugerencia. Esta actitud se advierte en sus contemporáneos D'Halmar, Pedro Prado, Magallanes Moure, Max Jara, Jorge Hübner y otros.

La presentación comentada del paso de Eduardo Barrios por la vida y por las letras permite entender mejor su obra y su significado. Ella descansa, pues, sobre tres diferentes factores: los temas, el espíritu y la expresión.

---

[2] Sobre Eduardo Barrios: "Alone" (H. Díaz Arrieta), *Historia personal de la literatura chilena*, Santiago, Zig Zag, 1954; Armando Donoso, *La otra América*, Madrid, 1925; F. García Oldini, "Omer Emeth" (Emilio Vaisse), *Estudios críticos de la literatura chilena*, Santiago, Nascimento, 1940; R. Silva Castro, *Panorama de la novela chilena*, México, Fondo de Cultura, 1955; ibid., *Creadores chilenos de personajes novelescos*, Santiago, Bibl. de Alta Cultura, s. f. (¿1953?); A. Torres Ríoseco, *Grandes novelistas de la América Hispana*, II, *Los novelistas de la ciudad*, Berkeley, 1943; id., *Novelistas contemporáneos de América*, Santiago, Nascimento, 1940; C. García Oldini, *Doce escritores hasta el año 1925*, Buenos Aires, 1925.

Desde luego, y para comenzar, conviene dejar en claro que de las muchas apreciaciones literarias sobre Barrios, se deben discutir mucho algunas de sus propios compatriotas, más atenidos al episodio efímero y candente, que a la realidad perdurable. Una de ellas, la de Arturo Torres Ríoseco: pese a que él mismo rara vez fue protagonista activo de ninguno de los dramas de su patria chilena, se lanza contra Barrios en términos acérrimos impropios del observador físicamente lejano y del crítico literario cabal [3].

El que un escritor tenga o no fortaleza de carácter es asunto incumbente al biógrafo, al psicólogo o al historiador, mas no al crítico literario, cuya capacidad de juzgar crece en la misma medida que su capacidad de sopesar, es decir, comprender. Menos mal que, en un rapto de sinceridad, Torres Ríoseco confiesa su "antipatía" por la "personalidad política y moral" de Barrios, lo cual, insistimos, no viene para nada al caso.

Es evidente que entre los temas que preocupan a Barrios están el de la individualidad, el de la aventura y el del sexo. Mas no parece conveniente extraer de ello consecuencias moralizantes, ni mucho menos lanzar inútiles dardos contra Flaubert, Galdós, Ponson du Terrail y Zamacóis, pintoresca mezcolanza que, aun cuando atribuida a Barrios, lo cual despintaría su sentido valorativo pero no su capacidad creadora, enciende los fuegos de la ira de su exégeta. En *El niño que enloqueció de amor*, el asunto es más delicado y poemático. Cierto que se trata de una pasión sentimental, casi imposible, de un niño de diez años hacia Angélica, una mujer con todos los atributos de tal. Pero, ¿desde cuándo el crítico literario da primacía a consideraciones éticas o científicas, o siquiera a posibilidades o imposibilidades? ¿Desde cuándo el creador literario debe someterse a las reglas del espectador para quien la imaginación sólo existe si se apoya, como el baldado en su muleta, sobre un dato concreto, fehaciente o probable, limitador de la inmensa

---

[3] Torres Ríoseco, *Novelistas contemporáneos de América*, Santiago, Nascimento, 1939, págs. 213-214.

y cambiante realidad? Al leer las páginas de *El niño que enloqueció de amor* se da uno cuenta de la presencia de un poeta, es decir, de un creador auténtico: recordemos su comienzo:

> ¿Habéis oído cantar un pájaro en la noche? Suele ocurrir que un rayo de luna, un rayo levemente dorado, derramándose, derramándose por entre el misterio del follaje, alcanza la rama donde se acurruca el avecita dormida y la despierta. No es el alba, como imagina, pero... ella canta.

Parecería que esta aura poética sería intransferible, mas la volvemos a encontrar en *Un perdido*, pese a que se reputa a esta novela de naturalista y en muchos conceptos lo es. Nada tan absurdo cual la actitud del lector que pretende someter la obra del creador a sus propias limitaciones en calidad de exégeta casi siempre presuntuoso. El Lucho Bernales de *Un perdido*, refleja variados aspectos de la vida en general, y de la del propio Barrios en particular: eso es cierto, pero no es menos exacto que, partiendo de esa base, el autor se escapa al reino de la invención y nos brinda cuadros y disgresiones llenos de finura y belleza. De ahí que tender puentes demasiado directos entre *Un perdido* de Barrios y *La educación sentimental* de Flaubert sea, por lo menos, exagerado. Sigo pensando que los profesores de literatura adolecemos de una limitación vitanda: la de pensar que todo escritor es una suma de lecturas. Les aplicamos el concepto que tenemos de nosotros mismos, sin darnos cuenta de que entre maestro y creador, entre crítico y poeta, existen largas distancias solo reducibles, a condición de que la calidad de creador predomine fundamentalmente en el exégeta.

Las dudas que pudieran surgir al respecto desaparecen cuando nos enfrentamos a *El hermano asno*. El tema de este libro es, sencillamente, la dualidad esencial en el hombre: el ángel y el demonio, el espíritu y la carne, la virtud y el pecado. No creo que haya querido Barrios burlarse de la santidad, ni exaltar la lujuria. Nos ha mostrado a través de un ejemplo seráfico, cómo en los buenos igual que en los malos, en los pecadores tanto como en los beatos, existe una doble o múltiple llamada de las creencias, de los sentimientos, de los sentidos, y que el ceder a esto o aquello, caracteriza un temperamento y a menudo define un destino sin poderlo librar enteramente de lo opuesto. Fray Rufino y Fray Lázaro son los antecedentes normales de *Los hombres del hombre*, libro en el cual Barrios reincide en una de sus preocupaciones básicas: que no existe un ser compacto y unilateral, sino que cada hombre encierra en sí muchos hombres contradictorios, lo cual, dada la pereza para leer que siempre caracterizó a Barrios, podría ser considerado como tardía adhesión a las tesis de Pirandello y Freud, sin mayores complicaciones psicopatológicas.

Por otra parte, así, a pesar de la distancia entre 1922 y 1952, los temas de *El hermano asno* y *Los hombres del hombre* se complementan; así también, entre *Un perdido* (1917) y *Tamarugal* (1944), existe una visible relación de causa y efecto, una especie de correspondencia determinista. Quedan al margen *El niño que enloqueció de amor* y *Gran señor y rajadiablos*. Este último libro, siempre un trozo autobiográfico, puede entenderse (algunos aburridos consumidores de declamaciones sociológicas lo han hecho) como una exaltación del patrón o amo de "fundo" sobre el peón o inquilino; pero hay otros aspectos de la obra, de toda obra, que escapan a tales limitaciones primarias. El señor Pedro Juan Valverde, de *Gran señor y rajadiablos*, refleja un carácter vigoroso, muy lejos de los débiles que, según Torres Ríoseco, caracterizan a Barrios. Es, al contrario, un varón en todas sus energías, con una personalidad avasallante. Moldea su tiempo y su espacio. Es el que imprime y da forma.

Silva Castro cree que *Gran señor y rajadiablos* es, como *Un perdido*, más biografía que novela, lo que equivale a decir que carece de intriga o conflicto propiamente novelesco [4].

---

[4] R. Silva Castro, *Creadores chilenos de personajes novelescos*, Santiago, Bibliografía de Alta Cultura, s. f. (¿1952?), págs. 166-167.

La verdad es que si un libro con todo, mucho o poco contenido autobiográfico, aunque escrito en forma fantasiosa, careciera, por contener aquella dosis autobiográfica, de todo sentido novelesco, asistiríamos a la crisis más absoluta de la novela, aunque nos sometiéramos a ciertos preceptos demasiado ortodoxos del señor Thibaudet [5]. Felizmente, la vida y el arte son más amplios. La autobiografía pasa a ser romance tan pronto abandona cierta brusquedad esquemática, cierta impertinente concisión historizante y cronológica. La obra de Barrios es tan ficción como lo es la de Proust, salvadas las diferencias.

Dentro de ese marco autobiográfico o memorialista, inevitable en cada autor, la obra de Barrios se desarrolla en un *tempo* estético, realmente impresionante. "Alone", siempre dispuesto a comprender aquello que no rechaza de antemano, lo cual no implica mucho margen de tolerancia, escribe a propósito de Barrios:

> Si la prosa, la buena y bella prosa, fuera la máxima virtud del novelista, Barrios sería sin discusión el primer novelista chileno. Escribe admirablemente, con suavidad, transparencia, nobleza y sus términos son puros. Pero su inventiva y su vigor no suben a igual altura. Carece de nervio. *Sus personajes* bien estudiados, bien puestos, no dejan huella durable; algo les falta, espontaneidad, animación: están bien, no demasiado bien. Es realista... [6].

No dice mucho el párrafo transcrito. Apenas, que Barrios escribe muy a tono con lo que uno deseara que fuese un estilo literario, aunque no con lo que uno considera un estilo polemista o dogmático. Queda en pie que nos hallamos ante una buena y bella prosa. ¿Puede aspirar a mucho más un escritor de raza? Sí, se dirá: a que esa prosa aunque no tan bella y buena, pudie-

---

[5] A. Thibaudet, *Reflexions sur le roman*, Paris, Gallimard (1939).
[6] "Alone", *Historia personal de la literatura chilena,* ed. cit., páginas 232-233.

ra ser vital. Lo que le ocurre con la de Domingo Faustino Sarmiento, o León Bloy, o Unamuno. Mas, tratándose de novela, la buena y bella prosa constituye la mitad de la tarea. ¿No ha dicho Ortega y Gasset que el *quid* de la novela está en la narración? [7]. Si nos refiriésemos a ideas, deberíamos exigir primordialmente éstas; tratándose de ficciones, hay que condescender a que la ficción o contenido no rebalse del continente o prosa, para que no se convierta en poesía pura y monda. ¿No ha dicho Sartre que la diferencia entre prosa y poesía consiste en que mientras en poesía la palabra gobierna al escritor, en prosa el escritor gobierna a la palabra? [8].

No sé hasta qué punto debamos confundir a un escritor con nuestras apetencias políticas o con lo que desearíamos fuera cualquier autor si escribiese sobre aquellos temas que no sabemos, no podemos o no queremos tocar. Considero que todo autor tiene una amplitud y una limitación tangibles. Dependen ellas del ángulo en que nos situemos para juzgarlas, si juicio cabe al respecto.

En el caso de Barrios, pienso que nos hallamos ante un novelista aterido por cierto compromiso congénito o convivial, surgido en la ruta misma. ¿Cómo habría sido Barrios si no se ve obligado a educarse en Lima, ciudad en cierto modo propia y enemiga, dadas las circunstancias a que nos hemos referido? ¿Si a su rudeza de impulso no se hubiera agregado, como una cota invulnerable, la *cortesía exigentísima* de un medio de *corte* y una situación de *cortedad* inevitable? La delicadeza entonces fluye de suyo; la delicadeza, que es ternura, suavidad y nostalgia, y la nostalgia que se resume en ensimismamiento, aunque parezca no serlo.

El hermano asno y *El niño que enloqueció de amor* brindan claras muestras de ensimismamiento, pero no son menos claras las que presentan *Un perdido, Gran señor y rajadiablos* y

---

[7] Ortega y Gasset, *Obras completas*, "Ideas sobre la novela", Madrid, Revista de Occidente, 2.ª ed. 1950, tomo III, pág. 389, etc.
[8] Sartre, *Situations*, II, Paris, Gallimard, 1948.

Los hombres del hombre: en suma, la obra entera de Barrios gira, como suele ocurrir con explicable frecuencia, en torno del propio autor, de su vida real y, desde luego, de su vida sentimental e imaginaria.

¿Cómo realiza su obra el novelista? Las descripciones que de ella se hacen, por medio de términos más o menos exactos, pero siempre subjetivos ("dulce", "suave", "claro", etc.), requieren un examen más atento por breve que sea esta silueta.

Veamos una página al azar:

> ¡Arroyo transparente, ancha flor blanca que te abres en la tarde, pajarillo hirviente de música, rogad por el hermano Lázaro que os envidia! Dais vuestro perfume lento, vuestro humilde canto de agua clara, vuestra alegría sin dirección y no os inquietáis por el provecho de vuestros dones. Sois indiferentes, y la indiferencia entona en la imperturbable serenidad natural. Ignoráis, y vuestra ignorancia alcanza la perfecta sabiduría. Por vuestra falta de interés entráis en Dios. ¡Rogad por mí! No sé si me oís. Pero me levanto del suelo, y a medida que sacudo las briznas prendidas a mi sayal, siento una gratitud pura en el ambiente y esta gratitud me penetra.
>
> Hay olor a tierra que se moja, a retoños que se refrescan... Allá pasa el hermano Juan, con los hábitos arremangados y las piernas velludas despeinando el herbazal. Lleva una cacerola blanca como su alma. Hermano Juan, tú que tienes un alma de cacerola blanca, ruega también por mí [9].

El ritmo de esta página es sin duda un ritmo poético. Sus expresiones guardan proporción con el ritmo: "humilde canto de agua clara", "alegría sin dirección", "perfume lento", "pajarillo hirviente de música", "despeinando el herbazal", "alma de

---

[9] Barrios, *El hermano asno*, 5.ª ed., Santiago, Nascimento, 1937, pág. 8.

cacerola blanca", etc., son giros de una inefable belleza, casi penetrante. Si traducimos la primera oración a ritmo silábico, tendremos un típico esquema métrico muy a menudo representable por oOo/oOo/ y por ooOo/ooOo/. Usando el ritmo silábico. Por ejemplo, la última línea, se podría dividir así:

> Hermano Juan
> tú que tienes un alma
> de cacerola blanca
> ruega también por mí,

o sea, 5-7-7-7, es decir, un pentasílabo seguido de tres heptasílabos, lo cual parece involuntaria y aproximada reminiscencia del ritmo de la seguidilla. Esta tendencia a la versificación, a la acentuación rítmica, propia de toda prosa inevitablemente poética, va acompañada de continuos y sostenidos rasgos de simplicidad conmovedora, de expresiones tercamente directas, donde perdura el eco de "Azorín" y Gabriel Miró, entonces muy en boga, probablemente entroncados psicológicamente con el contemplativo Barrios, cuyas predilecciones en verso son por Amado Nervo, otro escritor muy simple a fuerza de mondarse paramentos. La inclinación al heptasílabo, o, si se quiere, al alejandrino dividido en hemistiquios heptasilábicos, se reproduce en otra página:

> Pero al Padre Guardián / le agradaba sobremanera / salir siempre a estos pasos / con un fraile a su izquierda.

es decir: 7 + 9 + 7 + 7. La adjetivación no pierde un solo instante su plasticidad un tanto vagarosa:

> Pintan dos *manchas densas* en la gris sucesión de las columnas del claustro que al entornarse en la *transparencia lila del alba*, toman un *diáfano azul de bruma* (p. 13).

> La mañana está fresca, centelleante y pura como la voz de un pájaro (p. 15), hay un *olor verde* a legumbres vivas.

La prosa de *El hermano asno* guarda una extraña armonía con la de *El niño que enloqueció de amor*. La hay, también, dijimos, entre *Un perdido* y *Gran señor y rajadiablos*. No es que coexistan dos Barrios; se trata de uno solo, pero maestro en doble instrumental, tocador de gaita de dos caños, como haciéndose contrapunto a sí mismo, lo cual se advierte sin dificultad al examinar la frase, el adjetivo, esa manera como desasida de interés inmediato, de jactancia, un tanto desmañada, vertida al socaire, con reprimida ternura que se deslíe en sonrisas prietas de ironía y humildad. Cuando uno escucha a Barrios, con esa su voz ronca, de crónica afonía, empieza a penetrar en el secreto de su prosa también afónica, pero persuasiva y penetrante. Es un escritor seguro de su oficio. De un oficio que debe basarse en un estilo, y un estilo que debe descansar en un modo intransferible, consustanciado con su autor. Si la novela es narrar, según piensa Ortega, si su esencia consiste en la manera de presentar, no hay duda de que nos hallamos ante un gran novelista, lejos del folklorismo tipificador de zonas geográficas, aunque no siempre de personalidades estéticas y humanas. Eduardo Barrios ha descubierto el secreto de la novela americana que puede escribirse y pensarse en cualquier otro idioma. Un buen comienzo de universalidad: muy necesario...

XXXV

RICARDO GÜIRALDES

(Buenos Aires, 13 febrero 1886 — París, 8 octubre 1927)

Cuando Ricardo Güiraldes, acaudalado joven argentino, regresó a París, enfermo ya del encomiable mal de la literatura, se puso en contacto con un escritor francés de renombre, Valery Larbaud, quien había publicado un capitoso libro, una sugestiva novela de ambiente criollo sudamericano, titulada *Fermina Márquez*. El joven Güiraldes iba en pos de las novedades literarias europeas; el ya maduro Larbaud perseguía "le pittoresque" latinoamericano. La simbiosis se operó sin pensarlo, porque sí. Lo cual no quiere significar que Larbaud decidiera el neocriollismo o criollismo estético de Güiraldes, sino que no precisa amurallarse en el *folklore* para interpretar lo vernáculo, pues que así como lo regional es una de las más directas vías para lo universal, así también suele ocurrir que lo exótico resulte el modo más rápido de encontrar lo auténtico.

A juzgar por su biografía, Güiraldes debió ser una especie de "métèque" literario. Tenía apenas doce meses cuando su padre don Manuel José, lo llevó a París y ahí se estuvieron durante cuatro años. Regresó afrancesado, para acriollarse en el ambiente de la vasta estancia familiar "La Porteña", situada en San Antonio de Areco, cerca de la ciudad de Buenos Aires, escenario más tarde de su famoso *Don Segundo Sombra*. Hijo de casa grande y dueño de una fantasía mayor que su caudal financiero, Ricardo no pudo terminar ninguna de las dos carreras universitarias que abrazó por corto tiempo. Las dos explican su rumbo: arquitectura, propia de las bellas artes, y derecho. A los veinticuatro años, el año del Centenario argentino, regresó Ricardo a París. Se vinculó entonces con escritores franceses. Imperaba el exotismo. Los libros de Loti y Farrère, se vendían con profusión, se discutía a Marinetti, empezaba a oírse de Apollinaire y Rilke, deslumbraba Rodin, se iba a "descubrir" a Gauguin. Güiraldes se lanzó a la aventura que habría soñado Rubén: al Lejano Oriente. Visitó de prisa el Asia. Desde luego, rindiendo pleitesía a las preferencias de su tiempo, alcanzó hasta el Japón.

Eran los días inmediatamente anteriores a la Primera Guerra; los días de *Le poète assassiné*, a los que seguirían, en plena contienda, los de Tristan Tzara y el "dadaísmo" (1916). En realidad había empezado una sorda y recia batalla entre los residuos del simbolismo y el naturalismo contra los avances del futurismo y el naciente vanguardismo que florecería casi en seguida en la estupenda colección de flores artificiales encarnada en la generación de los "poilus" de 1914-18, entre ellos Blaise Cendrars (*Poèmes élastiques*), Philip Soupault, André Bréton, el propio Apollinaire (*Le poète assassiné, Calligrammes*), Jean Cocteau, Valery Larbaud, los aún jóvenes Gide, Claudel y Paul Valéry. Güiraldes, por esnobismo y por temperamento se unció en parte a aquel carro, pero sin perder el sabor genuino de sus lejanas pampas. Sus dos primeros libros (*El cencerro de cristal*, prosas y versos, y *Cuentos de muerte y de sangre*) datan de 1915 y denuncian su congenial mestizaje gauchoparisino. Lo confirma el título del primero de dichos libros: no se trata de "la campana de cristal", sino de *El cencerro de cristal*, giro donde se mezclan en atrevida síntesis, un vocablo evocador de la pampa y del ambiente agropecuario, "el cencerro", y la líquida y sonora adjetivación "de cristal".

La guerra desparramó a toda una promoción latinoamericana ávida de parisianismo. Unos, como Borges, se refugian en Suiza, otros en España, otros, como Güiraldes, regresan a su tierra. Ahí lanzará dos nuevas obras, concebidas en olor de nostalgia, de terca nostalgia criollista: *Rosaura* y, sobre todo, *Raucho: momentos de una juventud contemporánea* (1917). Este último libro es, sin duda, un trozo autobiográfico. *Raucho* encierra, desde su simple enunciado, una alegoría: "Gaucho" con la "R" de Ricardo. La atención literaria se vuelca sobre el joven e implícito memorialista de su generación. Se trata de un mozo aquejado del nuevo "mal du siècle", no ya romántico, sino estilizado y de retórica parca, antigrandilocuente. El tono es agresivamente poético. Pero, como Güiraldes se da cuenta de que su autobiografía empieza por la llegada a París y deja, por tanto, vacío un largo lapso, no tarda en llenarlo con un nuevo libro, *Xaimaca* (1923), que no sólo debe considerarse como una crónica de viaje, sino como un itinerario sentimental el relato de cómo a consecuencia de una salida a través de los Andes, por la vía de Chile, hasta llegar a las Antillas, el adolescente y futuro "Raucho", vislumbra los misterios del paisaje y los secretos del hombre.

De retorno de este periplo literario —el geográfico había ocurrido años antes—, Güiraldes, asociado a Jorge Luis Borges, que había vuelto con las manos llenas de versos neo-nativistas (los de *Luna de enfrente* y *Fervor de Buenos Aires*) funda el grupo y la revista "Proa", bajo la inspiración directa de Macedonio Fernández[1] y con la alegre compañía de Pablo Rojas Paz y Brandán Caraffa. Es entonces cuando concibe *Don Segundo Sombra*, culminación de la estupenda trilogía: *Xaimaca, Raucho* y *Don Segundo*. El éxito de este último libro supera de tal suerte a los otros que, en adelante, no se conocerá a Güiraldes sino como el autor de *Don Segundo Sombra* (1926). Coincide su publicación aparentemente para favorecerlo, con *Zogoibi* de Larreta. Aunque ambos ronden el tema del criollaje, y sus autores pertenez-

---

[1] Cfr. sobre Macedonio Fernández: L. A. Sánchez, *Escritores representativos de América,* primera serie, Madrid, Gredos, 1957, 1.ª ed., págs. 197-209. Nuevamente editado ahora, primera serie, tomo III, páginas 95-106.

can a una clase adinerada, la distancia entre ambos se mide, en parte, por la que los separa en la vida real: el niño rico, criado en la estancia ganadera, y el hombre rico, crecido a los pechos de la urbe cosmopolita y lejana. De ello nos ocuparemos más adelante. Güiraldes obtiene el Premio Nacional de Literatura de 1926. Su salud no guarda compostura con el triunfo literario: le traiciona. Güiraldes viaja a París, en busca de curación. Muere el 8 de octubre de 1927, a los cuarenta y un años de edad [2]. Al año siguiente, su viuda publica dos libros póstumos densos, crispados, hondos: *Poemas místicos* y *Poemas solitarios*. Más tarde aparecerá otro de relatos.

* * *

El contenido poético de *Don Segundo Sombra* despunta desde la dedicatoria. Después de la enumeración de sus amigos domadores y reseros y del propio Don Segundo, personaje de carne y hueso, exclama, en tono de poeta:

---

[2] De Güiraldes: *Cuentos de muerte y de sangre*, Buenos Aires, 1915; *El cencerro de cristal* (prosa y verso), Buenos Aires, 1915; *Rosaura*, Buenos Aires, 1917; *Raucho: momentos de una juventud contemporánea*, Buenos Aires, 1917; *Xaimaca*, Buenos Aires, 1923; *Don Segundo Sombra*, Buenos Aires, Proa, 1926; *Poemas solitarios*, 1921-1927, San Antonio de Areco, 1928; *Poemas místicos*, San Antonio de Areco, 1928; *Seis relatos*, Buenos Aires, 1929.

Acerca de Güiraldes: Horacio Jorge Becco, *Don Segundo Sombra y su vocabulario*, Buenos Aires, 1950; *Revista Sur*, núm. 1, Buenos Aires, 1931; Silverio Boj, *Ubicación de Don Segundo Sombra y otros ensayos*, Tucumán, 1940; Carlos Alberto Erro, *Medida del criollismo*, Buenos Aires, 1929; Roberto Giusti, *Crítica y polémica*, 3.ª serie, Buenos Aires, 1927; A. Torres Ríoseco, *Grandes novelistas*, Santiago, Nascimento, 1940; L. A. Sánchez, *Proceso y contenido de la novela hispanoamericana*, Madrid, Gredos, 1953, passim (Unión Panamericana), *Diccionario de la literatura latinoamericana*, Argentina, I parte, Washington, DC, 1960; Anderson Imbert, *Historia de la literatura hispanoamericana*, México, Fondo de Cultura, 1954; A. Torres Ríoseco, *Novelistas contemporáneos de América*, Santiago, Nascimento, 1939; Fernando Alegría, *Breve historia de la novela hispanoamericana*, México, Studium, 1960. La bibliografía sobre Güiraldes es copiosa y muy renovada.

A los paisanos de mis pagos.

A los que no conozco y están en el alma de este libro.

Al gaucho que llevo en mí, sacramente, como la custodia lleva la hostia.

El libro está escrito en primera persona. Corresponde a los recuerdos de un niño, a quien educa un gaucho, especie de mayordomo o ayo de la estancia. Podríamos compararlo con el Medrano de *La gloria de don Ramiro,* siempre que se recuerde que mientras éste guía a un hidalgüelo español, de Ávila, en el siglo XVI, Don Segundo adiestra a un hidalgüelo o estanciero argentino, de los alrededores de Buenos Aires en los comienzos del siglo XX. El lenguaje sufre, como es natural, inevitables mutaciones, sobre todo en la rapidez. El estilo es cortado, aunque siempre poético. Las metáforas se suceden con agobiador encanto. No obstante, a ratos dormita Homero. Veamos una de esas inevitables somnolencias:

> Mi humor no era el de siempre; sentíame hosco, *huraño,* y no había querido avisar a mis habituales compañeros de huelga y *baño...* (Cap. I).

La consonancia (huraño-baño) no añade belleza a la oración; revela descuido, lo que no resta belleza al párrafo, seco y vibrante, como una espada, conciso y gráfico como una estampa. Es también evidente la excesiva huella de la sintaxis francesa, galicismo mental, en párrafos como éste:

> La pesca misma, pareciéndome un gesto superfluo, dejé que el corcho de mi aparejo llevado por la corriente, viniera a recostarse contra la orilla.

No se le puede negar a quien creció en Francia el derecho de ostentar, aun *malgré-lui,* la impronta de sus maestros. Pero, a cambio de tales cesiones y concesiones inevitables, ¡qué intensa armonía la de todo el libro! Predomina en el estilo de Güiraldes una estupenda mezcla de elementos cotidianos con otros de ascendrada poesía, en vivaz contrapunto. Pongamos un ejemplo:

> Sobre el tendido caserío bajo, la noche iba dando importancia al campanario de la Iglesia.

Podría asignarse a esta expresión cierto origen laforguiano (*La lune comme un point sur une i*), pero es absolutamente güiraldesiana, sobre todo por su buscado desgaire. Lo que sorprende y encanta en seguida es la fuerza metafórica, la intensidad lírica del escritor. Sus comparaciones tienen su sello viril, parejo del que emana de la pampa y se proyecta en su gaucho. Podemos escoger al azar algunas: "el barro que se adhería con tenacidad a mis alpargatas amenazando dejarme descalzo" (Capítulo II, p. 24) [3]... "Un intenible temor me bailaba en las piernas, cuando oía el gruñido de algún mastín peligroso" (p. 25)... "Para vencer el encandilamiento fruncí como jareta los ojos al entrar al boliche" (p. 27)... "El pecho era vasto, las coyunturas huesudas como las de un potro, los pies cortos con empeine a lo galleta, las manos gruesas y cuerudas como cascarón de peludo" (p. 30) [4]... "El sueño cayó sobre mí como una parva sobre un chingolo" (p. 47)... "Las piernas blandas como queso" (IV, página 48)... "me incorporé satisfecho, echando no sin tristeza, una mirada a mi cuartito y al catre, que quedaba desnudo y lamentable como una oveja cuereada" (VI, p. 72).

El estilo de Güiraldes reivindica el habla gauchesca. No se ha dicho lo suficiente, habiéndose dicho tanto, acerca del calado y densidad, de la levedad y armonía de esta prosa nacida de la tierra y envuelta como en nubes. Por repulgos sociologizantes y politiqueros no ha faltado quien ponga énfasis en el origen terrateniente o latifundista del escritor, haciendo oídos sordos a sus realizaciones de artista eximio, a ese nutrirse de zumos vernáculos para dar el salto a la región más alta de la poesía. ¿Qué importancia tiene para un lector de sano espíritu que el prota-

---
[3] Todas las citas están tomadas de la primera edición, Proa, 1926.
[4] *Peludo* = *armadillo*.

gonista sea un rebelde o un sumiso, un peón o un criado rural, un mandadero o un príncipe? Sin embargo, la más corriente crítica lanzada contra *Don Segundo* se funda en estas circunstancias sociales a que, desde luego, es ajeno el buen gusto. De ello se valieron también, aunque mirándolo desde otro ángulo, para contraponerlo al *Zogoibi* de Larreta. El mismo falso pudor humano con que se pretendería más tarde apocar *Gran señor y rajadiablos* de Eduardo Barrios, tildándolo de "novela burguesa" o "de patrón".

Sigamos con *Don Segundo Sombra*. El niño que narra la historia, es decir, Güiraldes mismo, nos refiere el episodio de su fugaz incorporación al mundo de los reseros, bajo la égida de un peón de su estancia llamado realmente Segundo Sombra. Los episodios se hallan descritos de magistral manera. Por ejemplo, la escena del encuentro con Aurora, la pudorosa forma de narrar el acto de la posesión y mejor aún el de la despedida, están saturados de una fuerza extraordinaria por su misma simplicidad. Más emotiva aún es la pintura de las escapadas en la pampa. Oigamos aquel rudo y tierno consejo de Don Segundo encerrado en la espartana concisión del párrafo:

> Bajo un cobertizo de zinc tiré mis pilchas al suelo y me las dejé caer encima, como cae un pedazo de barro de una rueda de carreta.
>
> Un rebencazo casi insensible me cayó sobre las paletas.
>
> —¡Hácete duro, muchacho!
>
> Y creí haber reconocido la voz de Don Segundo.

Extraordinaria capacidad de evocar y describir. Cuando leemos que "los postes, los alambrados, los cardos lloraron de alegría", o que "los novillos parecían haber vestido ropas nuevas como nuestros caballos", percibimos indiscutible la presencia de un poeta de la tierra, en toda su grandeza. Y más al rematar un capítulo —el IX— de esta manera terriblemente gráfica:

Entretanto la vitalidad sobrante quedó agazapada en nuestros cuerpos, pues de ella tendríamos necesidad para sobrellevar los próximos inconvenientes, y sin desparramarnos en inútiles bullangas, volvimos a caer en nuestro ritmo contenido y voluntarioso:

Caminar, caminar, caminar.

Párrafo y actitud semejantes aparecen en una página de *Los de abajo de Azuela*, al referirse al destino trashumante de los revolucionarios mexicanos. "Caminar, caminar, caminar". Hasta podría inferirse que en esa repetida palabra se encierra el destino de los americanos de todo el siglo XIX y lo que va del XX.

Junto a estos pasajes descriptivos o evocadores, hay otros de una intensa fuerza lírica, en que el poeta se vierte con amplitud inconmensurable. Güiraldes ensaya ahí lo que sería después el nudo de sus *Poemas solitarios*. El coloquio con su yo bajo la inmensidad de un cielo implacablemente vasto, asume tonos de gravedad y delicadeza eximias:

> Me cansé de hablar y de removerme el alma. Callé un largo rato.
> Mi compañero se había dormido. Mejor. Ahí estaba la noche de quien me sentía imagen.
> Morirme un rato...
> Hasta que la raya de la luz de la aurora viniera a tajearme a lo largo los párpados (Cap. XXVI).

Más intensa es la despedida, que, lo he dicho, sugiere en cierto modo la de Efraim en la *María* de Jorge Isaacs, otra gran novela americana:

> "Sombra", me repetí. Después pensé casi violentamente en mi padrino adoptivo.
> ¿Rezar? ¿Dejar sencillamente fluir mi tristeza? No sé cuantas cosas se amontonaron en mi soledad. Pero eran cosas que un hombre jamás se confiesa.

Centrando mi voluntad en la ejecución de los pequeños hechos, di vuelta (a) mi caballo, y lentamente me fui para las casas.
Me fui como quien se desangra.

Dejando aparte hallazgos tan certeros como esos de pensar "casi violentamente", "fluir mi tristeza", "amontonarse en mi soledad", etc., hay una frase de una sencillez impresionante, aquella que dice: "me fui para las casas", cosa distinta a decir "me dirigí a las casas", o "me encaminé a las casas". El verbo está usado allí como separación, como finiquito, como desenlace: no es el acto de trasladarse, sino el de poner fin a una permanencia, a un estado, quizá a una casi esencia, para encararse a otra. Por eso añade rematando con tanta justeza, "como quien se desangra". De esta suerte el libro, que empieza con "el gaucho que llevo en mí, sacramente, como la custodia lleva la hostia", concluye con un "me fui como quien se desangra". Destino profundo: desangramiento en ambas oportunidades: Trasmutación: la trasmutación del estanciero en peón y del peón en estanciero de nuevo, dos estados distintos, dos seres diferentes, unidos sólo por el cordón umbilical de una sensibilidad y una expresión exquisita.

No se puede leer impunemente *Don Segundo Sombra*. Contagia. Ello depende no sólo del estilo del autor, sino del ángulo desde el cual encara la vida, por medio del recuerdo. Aunque la alusión a Marcel Proust, por la fácil analogía que suscita el título de *A la recherche du temps perdu*, parece poco apropiada, no deja de tener cierto fundamento por cuanto ciñe el ámbito y tono de la obra a la vigencia casi despótica de la memoria apareada al sentimiento, de lo que mana una ternura irresistible. El instrumento de Güiraldes será siempre su subjetividad. Ocurre igual con todos los escritores, en grado más o menos alto, en algunos cobra los relieves de una obsesión. Así en Güiraldes. A la verdad, éste no ve, ni conoce, ni habla de otro mundo que el vigente o yacente dentro de las paredes de su yo. Los episodios no son sino golosinas, adornos de ese yo agobiante. Agobiante, pero no imperioso, pues disfruta del amargo don de la nostalgia. Sin embargo, de tal memorialismo se le ha reprochado a Güiraldes que Don Segundo resulte "un tipo completamente literario", es decir, sin correspondencia efectiva con la realidad. Este reproche, que le formulara el atrabiliario y violento crítico argentino Ramón Doll, es recogido por Torres Ríoseco [5]. Los personajes literarios como el Quijote, Fausto, Raskolnikov, Des Esseintes, poseen una vitalidad más poderosa que la de muchos seres biológicamente reales. Don Segundo es, por curiosa contradicción, tan real como Martín Fierro, más real que Santos Vega y mucho más que cualquier copia de la vida cotidiana traducida a términos de protagonista novelesco. Suele ocurrir casi siempre con las creaciones artísticas, de mayor vertebración y alcance que las vitales. Convertir a un personaje literario en objeto de debates políticos, prueba, por falso mas no desdeñable modo, su permanente validez.

Hay mucho que decir acerca de la más bella y perdurable novela argentina de este siglo. Sus enemigos, enemigos por increíbles e impensables razones, han trazado una escala de valores sociales en torno de tres obras decididamente literarias (*Facundo, Martín Fierro* y *Don Segundo*), y pretenden que el gaucho bravío de la primera se convierta en gaucho sometido en la segunda y en gaucho doméstico en la tercera: si así fuere, ello revelaría que la civilización acaba venciendo a la barbarie, paso a paso, personaje a personaje, como si dijéramos, período a período o trinchera a trinchera, lo cual está muy bien. Pero tales consideraciones son extemporáneas. Las obras literarias pertenecen a una órbita distinta a la que pretenden adjudicarles los políticos y sociólogos, o los periodistas, cazadores de lo fugaz, pretendiendo ejercer de intérpretes de lo eterno.

---

[5] Cfr. Torres Ríoseco, *Novelistas contemporáneos de América*, cit., pág. 137; Ramón Doll, *Don Segundo y el gaucho que ve el hijo del patrón*, en *Nosotros*, año XXI, tomo LVII, Buenos Aires, 1927. Doll se destacó siempre por el carácter polémico, a menudo irascible y monista de sus críticas.

Ricardo Güiraldes escribió otros relatos y poemas que se publicaron póstumamente. Con él fue injusta la llamada crítica técnica de la Argentina, pero en cambio, fue generoso el público que es al fin de cuentas quien decide sobre la duración de las obras y su influencia. Otros comentadores con menos pretensiones sociologizantes, o sin el inconveniente patriotismo que, en este caso, exigía fidelidad folklorista antes que la elaboración estética, han distorsionado la obra del gran escritor, apelando a símiles inapropiados. En ello ha incurrido hasta Anderson Imbert, quien dedica una página y media de glosa más bien periodística que crítica a *Don Segundo*. Empero, al leer uno los *Poemas solitarios* y las Cartas de Güiraldes, se percata de su verdadera intención y de su irrevocable experiencia literaria. No le ahuyentó del paisaje criollo la perspectiva ni la huella de París, ni le asordó para escuchar las voces de la tierra el continuo contacto con el francés. Sus lecturas de libros de última hora y su trato con peones, sirvientes y gauchos de su estancia amasó un lenguaje sabroso, jugoso, expresivo como pocos, un lenguaje que era trasunto del habla del campo argentino, pero sin caer en la ramplonería, ni el prosaísmo. Güiraldes selló el pacto de los nuevos escritores con los viejos usos; del aprendizaje europeo con las tradiciones y costumbres vernáculas; de lo nativo con lo exótico. Coincidió —hay que repetirlo— con la asordinada y subrepticia actividad de Macedonio Fernández, a quien nadie desconoce ni desconocerá el difícil don de traducir a un criollo sonreído las más alambicadas preocupaciones filosóficas. Sin la ironía penetrante de Macedonio, pero, sí, con su irrevocable destino y acento criollo-argentino, Güiraldes echó los cimientos de un nuevo arte de narrar lo argentino en Argentina, e incorporó al gran teatro del mundo, un personaje auténticamente criollo, insobornablemente americano, a *Don Segundo Sombra*.

XXXVI

VENTURA GARCÍA CALDERÓN

(París, 23 febrero 1886 — París, 27 octubre 1959)

Nací el 23 de febrero de 1886, y no puedo escamotear años, pues mi vida de entonces sigue en curso público de la historia peruana... (En 1885) el único peruano a quien se le niega el derecho de regresar a la patria es a mi padre... El general Cáceres, que secundó a (Francisco) García Calderón en la Resistencia irreductible, encabeza un movimiento revolucionario en 1886, pocos meses después de mi nacimiento, y puedo regresar al Perú en brazos de una nodriza alsaciana [1].

Oigamos otra versión del propio autor sobre el mismo suceso:

Yo vine al mundo, Amada mía, en tu ciudad deslumbradora; mas conocí una infancia triste bajo estrellas distintas, en un raro y lejano país. A cuentos arios mezclaban la tristeza de sus hogares despojados por mis abuelos implacables.

---

[1] V. García Calderón, *Páginas escogidas*, Madrid, Morata, 1947, pág. 1073, nota.

Ventura García Calderón Rey, nacido en París el 23 de febrero de 1886, se educó en Lima, en el Colegio de los Sagrados Corazones (Recoleta) y en la Facultad de Letras de la Universidad de San Marcos. En su lírica "Elegía" se refiere al "emblema intolerable de mi juventud que leyó a Bécquer". Cuando era un adolescente, hacia el 900, circulaban la primera edición del *Ariel* de Rodó y la segunda de *Prosas Profanas*: dulce y melódico destino. Él lo dirá:

> ¿Amé? Tal vez, cuando apuntaba el bozo.
> ¿Viví? Quizá cuando cantar solía.
> Iba curvado desde el tiempo mozo
> por la fatiga de mi melodía.
> ....
> No me preguntes por qué ciertos días
> soy tan huraño; no me pidas calma:
> doctor en letras y melancolía,
> llevo erizada de rencor el alma.
>
> ("La Carta que no escribí en *Cantilenas*") [2]

Después de la muerte de su padre, Ventura y su familia viajan a París, de nuevo, allá por 1906. Desde entonces, hasta 1959, pasó más de medio siglo, y, salvo una breve estancia en Brasil y una más corta en Lima (no llegan a cinco años en total), su vida entera transcurrió en Europa, principalmente en París. Se explica la exasperada terquedad con que pregonara su americanismo.

Entre su ingreso a la Universidad de San Marcos, de que fue estudiante fugaz, hecho ocurrido hacia 1903, y el viaje a París, Ventura, ya perniciosa y definitivamente tocado de literatura, solía reunirse con un grupo alegre de adolescentes, todos ellos lanzados por el mismo camino. Eran los días en que junto al renovado acento modernista (postmodernista le llaman otros)

---

[2] V. García Calderón, "Elegía", dedicada "A Ernesto Renan en el Paraíso y a una amiga en París", en *Cantilenas*, París, 1920; reprod. en *Páginas escogidas*.

de Darío, sonaba tímida, pero inconfundible la voz tácita de Juan Ramón Jiménez. Sus deliciosos libros eran difíciles de adquirir. Además, aquellos limeños signados de lamentoso lunatismo y parvos otoños, ansiaban tener autografiadas las obras del sitibundo y musical moguereño y, a ser posible, con un jirón de su alma. Sabiéndole sensible y galante, inventaron, mejor dicho, adjudicaron a una joven amiga avecindada en Miraflores, de nombre real Georgina Hübner, atributos físicos e intelectuales que no poseía, a fin de convertirla en irresistible Dulcinea del cantor de *Arias Tristes*.

Juan Ramón mordió el anzuelo. Hay de ello rastros inequívocos en su libro *Laberinto* (la "Elegía a Georgina Hübner") y en la correspondencia con los Martínez Sierra, recientemente publicada [3]. Dejemos que el propio Ventura narre el suceso casi medio siglo después, en una carta confidencial a la poetisa Dora Isella Russell:

> Voy a contarte brevemente esa aventura pretérita de una Beatriz imaginaria. He llamado por teléfono a un amigo y cómplice, el poeta José Gálvez, para refrescar recuerdos, y estamos de acuerdo en que nuestra superchería no fue crueldad ni frivolidad, sino... juventud. Preparaba yo un libro, nunca publicado, "España joven" (Azorín, Valle-Inclán, Baroja, etc.), y estábamos persuadidos de que el lejano poeta no respondería a nuestro requerimiento, pues nos faltaban sus libros. Una prima de mi amigo Gálvez, Georgina Hübner (que todavía existe) se prestó a copiar nuestras misivas que llevaban versos incipientes inspirados probablemente en versos de Juan Ramón. Respondió él en minúsculo papel de fina letra; respondimos nosotros; creyó alguna vez que su admiradora de Lima se había enfadado, porque pedía él un retrato; adquirimos entonces la fotografía de una linda mujer, la

---

[3] Edición de Ricardo Gullón en la Editorial de la Universidad de Puerto Rico, Río Piedras, 1961.

> Sra. Heudebert, y el ardoroso cantor se aficionó a tal
> punto del rostro y de los versos, que anunció su pro-
> yecto de venir a Lima a pedirla. Sólo entonces nos di-
> mos cuenta de la magnitud de la travesura. Una noche
> de luna y de acalorada charla, decidimos matarla de
> tisis y mandar a Madrid los últimos versos de la ado-
> rada y una carta de su "primo", José Cálvez, con la
> funesta noticia, la cosa no paró allí; el poeta siguió
> evocando a la amada en libros; lo vi yo en Madrid en
> 1914; cuando se casó, su esposa, muy inteligente, le
> ocultó la verdad y alguna vez ante ella, el Juan Te-
> norio que duerme en el alma de todo español, se jac-
> taba de que nadie le había amado como esa muer-
> ta incomparable. No estoy ufano de contar estas co-
> sas, ni estoy de acuerdo con esa aventura juvenil que
> parecía burlarse de la única santidad en este mun-
> do: un amor puro y desinteresado [4].

Dejando aparte toda digresión ética, el episodio demuestra el clima literario en que vivía desde entonces García Calderón. No lo perdió nunca ¡ay!

En un panfleto polémico titulado *Nosotros* (1947), Ventura trata de explicar estas cosas. Consiguiéralo o no, su obra (llamemos al autor en adelante V. G. C.) se distingue por dos características: su musicalidad formal y su buscada crueldad temática. Curioso, pero no raro contrapunto de exquisitez y violencia:

> Soy de la raza violenta y buena que todavía mata
> por cariño... ¡Quién sabe cuántas gotas de sangre in-
> dígena en mi sangre... Sólo por este hervor de sangre
> mixta pudimos devolver a la recia lengua su dulzura
> perdida, volver a Manrique y su impar concierto, cuan-

---

[4] La carta tiene fecha 3-ix-1949. He conocido una copia facsimilar, y ha sido publicada en el *Suplemento de El Día* de Montevideo, a raíz del fallecimiento de V. G. C.

do solemnes castellanos querían conservarle sin mudanzas como una capellanía de otros siglos ("Elegía").

Todo está dicho. El primer libro de V. G. C. retratará su pánico entusiasmo frente a la reencontrada patria espiritual: *Frívolamente* (1908), donde el cronista —el estilista— ensaya la pluma y el ojo. Queda satisfecho del propósito. En realidad fue una prueba de fuego. La crónica contaba entonces con eximios representantes: Enrique Gómez Carrillo, Rubén Darío, Amado Nervo, el belicoso Luis Bonafoux y Quintero, el iracundo Emilio Bobadilla. Pero, confesémoslo, V. G. C. añadió unas calidades *sui generis:* levedad lírica, subjetivismo entusiasta, riqueza de léxico, disimulada erudición. Yo sólo tendría que reprocharle en aquel libro, las dos últimas líneas de su oración a la Venus de Milo: "Oh bienamada Venus, ¡cómo no eres de carne!" Gula tropical. Inaudita. Esa Venus, "mi" Venus, está bien como está, verdosa y túrgida. ¡Cosas absurdas de los piafantes veinte y un años de un escritor cinegético, sorpresivamente extraviado entre mármoles en vez de arcilla, la "divina arcilla" por cierto.

En adelante, V. G. C. llenaría las columnas de muchos diarios y revistas de América Latina bajo el epígrafe: "Frivolidades de París". Muchas fueron de trascendencia. La frivolidad no reside en el ojo que la mira, sino en el oído que la oye y aún hay casos en que se confunden el fervor con la superficialidad.

El V. G. C. cronista llenó algunos volúmenes de graciosas y líricas pinturas del momento, instantáneas poéticas, croquis "a la emoción", como se suelen hacer al *crayon* o a la *sanguine*. *En la verbena de Madrid, Bajo el clamor de las sirenas* (1920), *Sonrisas de París* (1926), *Si Loti était venu* (1927), se recoge algo de tanto derroche fervoroso. Confesémoslo: su autor nos enseñó a ser alegres y melódicos. Abonémoslo en su cuenta. Cuenta cerrada ya por la muerte.

Pero, al par de eso, crecía en V. G. C. el irresistible impulso de ser útil, de servir a su tierra. Ésta le había dado cargos diplomáticos y sus naturales y doradas consecuencias. Las perdió sólo durante una etapa: de 1921 a 1930, bajo una parte del gobierno de Leguía. Esto explica por qué el mundo se dividía para V. G. C. en dos edades: la pre-Leguía y la post-Leguía. Exageración muy subjetiva. Hubo cosas y seres peores en nuestro país. Los que sentimos asco por toda arbitrariedad, no hemos personalizado así nuestra náusea cívica. La hemos hecho más extensa y un poco más combativa. A pesar de lo dicho, en sus últimos años, el amigo más cercano a V. G. C. fue Roberto Mac Lean Estenosi, diputado en tiempo de Leguía y secretario mimado de éste.

Entre las tareas de servicio, V. G. C. planeó algunas de indudable valía. Su tomo *Del romanticismo al modernismo* (1910), dedicado a las letras peruanas, presentó una antología, con sagaces y bellos comentarios, de nuestra evolución literaria entre 1830 y 1905; su *Parnaso Peruano* (1914) corrigió muchos errores de concepto, aunque incurrió en uno gravísimo: prescindir de José María Eguren. De este pecado no se redimió jamás V. G. C. Otros ensayos y ediciones completaron aquel cuadro, hasta culminar en la *Biblioteca de cultura peruana* (12 tomos en 13 volúmenes, París, 1938) en que reúne, con inevitables lagunas y prejuicios, lo más característico de la literatura del Perú. El cronista oficiaba ya en crítico. El prólogo de *Pages choisies* de Rubén Darío, recogido en el tomo *Semblanzas de América* (1920), encierra más de una lección aprovechable, y hasta una autodefensa muy discreta, que cabe aplicar a análogos casos.

Pero es en 1914 cuando aparece el V. G. C. más perdurable y discutido: el cuentista. *Dolorosa y desnuda realidad* presenta media docena de relatos, donde quedan al desnudo los pespuntes de la formación intelectual del autor. Oscar Wilde, Barbey d'Aurevilly, Huysmans, Méndez, Villiers de l'Isle, Adam determinan mucho de aquello. "La domadora", por ejemplo, parece arrancada de *El retrato de Dorian Gray*, y "Un profesor de amor", de *Aurebours*. En realidad, creo yo, V. G. C. ensayaba el temple, el modo de referir sucesos reales como imaginarios.

Pero es en 1924, a raíz del innegable suceso de dos escritores insignes y peruanos en el relato (Abraham Valdelomar y Enrique López Albújar) cuando V. G. C. decide incursionar en el cuento vernáculo, evocando historias de nuestra serranía. *La venganza del cóndor* conmueve a la crítica europea. Seguirán otros volúmenes: *Danger de mort* (1926), *Couleur de sang* (1930), *Le sang plus vite* (1936). La palabra "sang" (sangre) figura en los títulos con innecesaria y jactanciosa frecuencia. No lo olvidemos: V. G. C. quiere dar una impresión patética, cruenta, trágica de la vida del peruano. Después publicará *Amour indien* (1944). Pero, ese indio, aunque popularizado y aclamado en Europa, posee para nosotros el mismo valor que los indios de Chateaubriand: imagen desmesurada de una realidad prudente. Un reflejo de lo cotidiano, "visto (según la frase de Goethe) en un gran espejo".

¿Qué espejo? El de la nostalgia, el del "rencor" de ausencia (distinto al dolor de ausencia), que sacudía a V. G. C. hasta sus más íntimas fibras, haciéndole un arpa viva de las más encontradas pasiones.

Otros libros vendrán en ayuda de nuestra suposición: *Vale un Perú* (1939), *La Perichole* (1940), *Instantes del Perú* (1941), que retratan el amor de V. G. C. a Lima y sus amabilidades. Ahí, sí, ahí exultan el escritor y su gracia. Ahí abruman las "falenas", las sonrisas, el humor picante. Lo indio, no. Si aplicáramos un escalpelo concluiríamos en que todo el que ignore la sorna indígena carece de preparación para entender el mensaje de esta raza. Porque, si algún ser humano supera a sonrisas y amargos donaires su dolor, es el indio. La agudeza del costeño carece de mérito porque es fruto natural de un medio emoliente y reidor; la del indio, vence a un medio hostil e hirsuto en sus sarcasmos dignos de antología, y sus viriles quejas sin restañamiento posible. ¿No pertenece a un anónimo cantar indígena aquella copla de despedida, cuyos dos primeros versos arrancan el alma, diciendo:

> *Mañana cuando me vaya*
> *¿con qué corazón me iré?*

Volviendo a la obra de V. G. C., si no bastara lo dicho, agreguemos: *Cette France que nous aimions* (1945). En ella pone en evidencia el secreto hilo que conduce a la clave más íntima del autor: Francia, Europa. Sólo que no es el suyo, destierro, sino emigración y desarraigamiento material, que trata de vencerse con un desesperado arraigamiento o recuperación temática, distinta al arraigamiento espiritual. El espíritu es tema, circunstancia, tendencia, atmósfera y forma, todo junto. Y eso falta en las lucubraciones literarias anteriores a la factura de los cuentos "peruanos" de V. G. C.

No le pidamos exactitud histórica, ni fidelidad folklórica; las tuvo pero no nos importa. Inútil exigencia. Mas, digámoslo de una vez (y Jorge Basadre lo escribió a su tiempo, en *Variedades*, Lima, 1924), nuestra realidad indígena aparece en V. G. C. bella, pero falsa. El arte puede reflejar superando. Realistas, naturalistas, neorealistas, lo han conseguido. Solamente los románticos se deleitaron con sus adorables y declamatorios "pastiches". Cuando la muerte resulta el recurso inexorable de todo relato, y lo sorpresivo no surge como el último terceto de un soneto cabal, empezamos a dudar de la autenticidad del cuento como género, y de su contenido vital como testimonio.

Hay en V. G. C. un sostenido propósito musical. Se lo debe al modernismo en su doble fuente, americana y francesa. ¿No es suya acaso una de las más acabadas *Explication de Montherlant?* Y ¿no fue, quizá, con unos pocos, el último y por largos años el más ilustre sobreviviente de la brigada de pioneros de América en Europa? Todo adelantazgo suele tener funesto desenlace. Hay que pagar las anticipaciones con subsiguientes rezagos. Empezaba ya la Noche Triste para V. G. C. cuando se le adelantó la muerte.

Hubo en él, como pivote de su dramatismo y su gracia, un arranque poético del que son pálido testimonio los versos recogidos en *Cantilenas* y los de cierto inventado poeta "Jaime Landa" (*Parnaso Peruano*) cuya identidad con V. G. C. dan muchos por seguro.

La parva producción en verso de V. G. C. revela a un poeta fino, erudito y totalmente autobiográfico. El mundo existe en torno de él, epicentro de la emoción humana. ¿Suelen ser así los poetas?

Prescindiendo de los temas de sus narraciones, a ratos truculentas y siempre finas, pero exteriores, impresiona en V. G. C. la delectación por el lenguaje. No es mero azar. Es preocupación consciente. Vigilia. En un trabajo suyo acerca del idioma, carta dirigida a Fitzmaurice-Kelly, escribe V. G. C.:

> Wilde dijo una vez que es preciso escuchar, cuando se escribe, la música de la sangre; los períodos que no son "respirables", si así puede decirse, no merecen vida... Estamos convencidos de hablar la lengua más desgarbada, vivaz y dramática, puesto que es la lengua del pueblo de España... Todos los mestizos de español —ochenta millones de un continente—, que creen tener voz y voto, pues el porvenir de la lengua es suyo, tales son, señor mío, mis compañeros. A ellos debe el castellano el no haber llegado a ser una de esas lenguas sepulcrales, cuya belleza empolvada la analiza y descubre, en un día de lluvia, la Academia de Inscripciones de Tejas Abajo.

El recuento de las palabras y giros exóticos, introducidos con sentido melódico por este peruanista *enragé*, auténtico escritor de *race*, de los más prolíficos del Continente, constituye una de las aportaciones más interesantes a la dulcificación y agilizamiento del idioma. Prescindiendo de su "americanismo", lo cual vale mucho menos que "americanidad" o sencillamente que su personalidad, hay en él un artista fiel a su vocación y su oficio. Flaquezas cívicas, abulias ciudadanas y adhesiones inoportunas e injustificables, no disminuyen el armonioso rumor de su colmena. Traducido a numerosos idiomas, es de los pocos a quienes se puede leer (aunque no siempre se pudiera tratar) con deleite. Hasta por sus propios defectos, como cierta inevitable megalomanía, resultaba un hito y a ratos una estatua, a la que evidentemente no había que pedir, como en su oración a la Venus de Milo, que fuera de carne, por serlo ya demasiado.

Aunque algunos biógrafos al trazar la figura de este hombrachón sardónico, de risa golosa y ojos traviesos, dirán que ejerció tales o cuales cargos y que murió en París siendo Presidente de la Delegación del Perú ante la Unesco, la verdad es que fue un bohemio y por tanto un arbitrario. Sus empleos fueron detalles fútiles. Ventura cumplió muy a medias esas funciones, o, si las cumplió, siempre se dejó un lugar para no apartarse de su ejercicio esencial, el de escritor.

Desde luego, existen, como en todo hombre de letras de larga carrera, varios *tempos* en la vida y en la obra del autor de *Cantilenas*. Sería oportuno compararlos para darse cuenta de cómo iba moderando su inverecundia verbal, hasta alcanzar el equilibrio de un sosiego, quizá siempre demasiado melódico.

Así, en una crónica de *Bajo el clamor de las sirenas*, escribe:

> Era después de cenar, en un salón francés, mujeres guapas, hombres feos que enseñan ciencias graves. Se discutía sobre la guerra, naturalmente. ¿Un año aún, dos años? "Hasta acabar con ellos" decía con adorable ferocidad una gentilísima, quien era madrina de soldados. Todos hablábamos de cañones y de obuses con la elocuencia incompetente que nos distingue a los paisanos.

El trozo contiene algunas revelaciones: la primera aparece en la última línea: el término "paisano" está empleado a la manera peruana, como antagónico a militar. Es una liberación de toda influencia francesa, la cual daría a "paisano" el valor de "campesino" o *paysan*, como se usa también, por galicismo, en Argentina y Uruguay. En Perú, "vestir de paisano" es vestir de civil. El uso del verbo "cenar" denuncia en cambio la influencia española. En ese tiempo, 1915, Ventura residía en Madrid. En Perú y en Francia se dice en realidad "comer" o *manger* o *diner*, que da lo mismo. La cena equivale a *souper*. Por otro lado, la adjetivación del párrafo no es novedosa: tiene agudeza y hasta gracia, pero también lamentables latiguillos: el contraste entre "mujeres guapas" y "hombres feos" delata descuido o primitivismo. Resulta casi pueril. Ni lo uno ni lo otro suele ser riguroso ni uniforme. El término "adorable ferocidad" es también cortesano, pero tópico. Tal vez lo más original allí sea el giro "con la elocuencia incompetente que nos distingue a los paisanos".

Años más tarde, podemos leer otro párrafo de parecida intención descriptiva y en el mismo género croniqueril:

> A pesar de las mentirosas geografías, Francia es sólo un arrabal de París. Los verdaderos parisienses que han nacido en el extranjero o en provincia, vienen pronto a ser ungidos, como los reyes iban a Saint Denis. Así, para hablar de Francia, basta evocar una ciudad.

Este párrafo es riguroso y ceñido. La adjetivación se ve embridada por mano experta. Apenas hay un sólo adjetivo en estas líneas que datan de 1940 y tantos.

De 1923 es una crónica "En casa de Maeterlinck", que empieza con un retrato maravillosamente preciso y sugestivo:

> Cuando le vi en su casa, mesurado y benévolo, bajo la franja de cabellos blancos que circunda la frente como una corona de novio índice, yo creí que iba a asistir con este hermano occidental de Tagore, a una fiesta búdica... Los ojos claros miran sin prisa; la mano gruesa y trivial acaricia el *King Charles*, que retoza en sus rodillas... Está ya sereno y numerado como el guardián de un museo, que conservara su propia gloria.

El último giro es preciso, bello y lapidario. Acusa la maestría idiomática que distinguió a Ventura, sobre todo a partir de *La venganza del cóndor*.

Podríamos citar otros fragmentos de su prosa. Todos coincidirían en señalar a su autor como uno de los descriptores más llenos de colorido y más precisos del lenguaje castellano al que había aliviado de pesadeces, en un sistemático e ininterrumpido masaje lexical y sintáctico, de que hay lamentablemente algunos rastros en su prosa a veces acaramelada, siempre lírica, viril y capitosa.

Por lo demás, repitámoslo, a Ventura le interesaba directamente el idioma. En su folleto titulado *El nuevo idioma castellano*, dice el prologuista Gómez Carrillo:

> El horror que hoy parecen sentir los literatos en general contra las importaciones de palabras o ritmos extranjeros, en efecto, es un sentimiento que nuestros antepasados no conocieron. En otro tiempo, los poetas y los prosistas lejos de ruborizarse cuando alguien los acusaba de buscar los elementos de su estilo más allá de las fronteras de la patria, enorgullecíanse de enriquecer así el tesoro indígena.

La actitud concuerda con la teoría en este caso. Ventura se cura en salud al referirse a Molière y sus saqueos del "cofre castellano". Además reacciona allí mismo contra una frase de Fitzmaurice-Kelly en que llama "a master of rapid Gallicized style". Ventura defiende la adaptación del castellano a las necesidades modernas, la introducción de palabras y expresiones extranjeras necesarias y, sobre todo, el aporte americano: "a ellos debe el castellano el no haber llegado a ser una de esas lenguas sepulcrales, cuya belleza empolvada la analiza y descubre, en un día de lluvia, la Academia de las Inscripciones de Tejas Abajo".

En medio de tales inquietudes y desvíos y arbitrariedades, y salvando todas estas tentaciones, V. G. C. mantuvo un terco y entrañable amor a la cultura del Perú. Quizá no la entendió a cabalidad. Tal vez la identificó demasiado con Europa. Pero supo sorprender al cabo, el mordaz runrún de lo criollo y el dejo triste de lo indio. Con ello atemperó su prosa de poeta conquistador. Sumergió ésta en mieles de nostalgia y zumos de malcontento. Y pudo en fin completar el periplo romántico de su ser literario, siendo peruano, muy peruano, sin dejar de ser tan español y tan francés [5].

---

[5] Obras de V. García Calderón: *Frívolamente*, París, Garnier, 1908; *Del romanticismo al modernismo*, París, Ollendorf, 1910; *Parnaso peruano*, Barcelona, Maucci, 1914; *Literatura peruana (1935-1914)*, "Revue hispanique", tomo XXXI, París, N. York, 1914; *Dolorosa y desnuda realidad* (cuentos), París, Garnier, 1914; *Une enquête littéraire: Don Quichotte à Paris et dans les tranchées*, Paris, 1917; *Rubén Darío. Pages Choisies*, Paris, Alcan, 1918; *Semblanzas de América*, Madrid, Cervantes, 1920; *Bajo el clamor de las sirenas*, París, 1920; *En la verbena de Madrid*, París, Ed. de América Latina, 1920; *Cantilenas*, París, id., 1920; *La venganza del cóndor*, París, 1924; *Sonrisas de París*, Buenos Aires, 1926; *Danger de mort*, Paris, Excelsior, 1926; *Si Loti était venu*, Paris, Excelsior, 1927; *Couleur de Sang*, Paris, Excelsior, 1933; *Le sang plus vite*, Paris, N. F., 1936; *Explication de Montherlant*, Bruxelles, 1937; *La Perichole*, Paris, NRF., 1940; *Amour Indien*, Paris, Payot, 1944; *Vale un Perú*, París, Brouwer, 1939; *Instantes del Perú*, París, Brouwer, 1941; *Nosotros*, París, Garnier, 1943; *Cette France que nous aimions*, Ginebra, 1945. Además, numerosos prólogos y antologías, entre ellas *La Biblioteca de la cultura peruana*, en doce tomos y 13 volúmenes, publicada en París, Brouwer, 1938.

XXXVII

PEDRO PRADO

(Santiago de Chile, 8 octubre 1886 — Viña del Mar, 31 enero 1952)

Los escritores suelen, a veces, parecerse a lo que escriben: es cuando se realizan de veras en su literatura. Así como Alighieri era magro y alto cual ánima escapada del Averno, así era Quevedo robusto y fizgón, con risa en el arco oscuro de los espejuelos, en la nariz casi de "un elefante boca arriba" y en la verba endiabladamente seria a fuerza de retozona: Pedro Prado tenía los ojos claros y extáticos; la *nez* respingada, abreviando su condición apendicular; la actitud bonachona, y todo él cernido y menudo, con parco gesto del bracito corto y amplitud en la mano episcopal. No tuve necesidad de que me lo señalaran el día que lo conocí físicamente: "Ése es", me dije, y ése era [1].

---

[1] Cfr. Francisco Contreras, *Lettres hispano-américaines, Poètes d'aujourd'hui*, Paris, Mercure de France, 1914; Hernán Díaz Arrieta (Alone), "Tres prosistas chilenos contemporáneos", en *Zig Zag*, Santiago, 28 de abril de 1928; ibid., *Mi historia personal de la literatura chilena*, Santiago, Zig Zag, 1952; Armando Donoso, *La otra América*, Madrid, Calpe, 1925, págs. 133-152; Luis Durand, *Gentes de mi tiempo*, Santiago, Nascimento, 1953; Álvaro Melián Lafinur, *Literatura contemporánea*, Buenos Aires, 1918; Hugo Montes y Julio Orlandini, *His-*

Había en todo él cierta aureola de beatitud. Aunque de complexión robusta, se le advertía etéreo, como si la carne se le hubiera agregado a guisa de lastre, a fin de anclar un alma que se volaba de puro ágil. El mismo atavío de Prado colaboraba a dar aquella impresión. No le vi jamás indumento muy a la moda; se había encastillado en una especie de moda de señor no muy antiguo ni muy contemporáneo, con chaleco un poco abierto, corbata de mariposa, camisa y cuello blancos, zapatos de alta capellada, no siempre pero a menudo con diverso color en la caña como contraste con el reluciente cuero de la zapatilla misma. Usaba corto el cabello, igual que su nariz de chico mimado. Sonreía con dulzura. Hablaba con timidez; a lo último, casi nada, pues le habían invadido unas lamentables afonía y afasia, bajo cuyo impacto el rostro sereno se crispaba en enojosa mueca hemipléjica. No tardaría en morir. Cuando la vida se nos despide, suele negarnos su rocío, aunque sea parcialmente, para que nos muramos de a pocos. Que es como deben morir los poetas a fin de que no caigan en la noche tan de súbito, sino aferrándose a las salientes de las rocas antes de rodar definitivamente hacia el abismo.

Desde que leí *Alsino*, yo profesaba una sincera devoción por Pedro Prado. Conocer a su autor resultaba coronación de un ansia vieja, no por indefinida, menos voraz. Prado tenía entonces unos cuarenta años. Pasaba por el Callao, no recuerdo si de ida a Colombia como Ministro, o de regreso a Santiago como ciuda-

---

toria de la literatura chilena, Santiago, Ed. del Pacífico, 1955; Eugenio d'Ors, *U-Turn-it*, Madrid, Caro Raggio, 1923, págs. 137-138; Alberto Reid, *El mar trajo mi sangre*, Santiago, Ed. del Pacífico, 1955; Raúl Silva Castro, "Pedro Prado, Vida y obra", en *Revista hispánica moderna*, Nueva York, 1-2, enero-abril, 1960; Arturo Torres Ríoseco, págs. 1-80; *Novelistas contemporáneos de América*, Santiago, Nascimento, 1939; ibid., *Grandes novelistas de la América hispánica*, Berkeley, Univ. de California, 1943; Olga Blondet Tudisco, *Bibliografía de Pedro Prado*, en *Revista hispánica moderna*, año XXVI, núms. 1-2, enero-abril 1960, pág. 81; R. Silva Castro, *Retratos literarios*, Santiago, Ercilla, 1932 (Unión Panamericana), *Índice de la literatura hispanoamericana*, Chile, Washington D. C. Unión Panamericana.

dano particular. Me lo presentó Conrado Ríos Gallardo, embajador de Chile en Lima, Prado fue cortés, mas no expresivo. Pensé en *Alsino* y sus alas, en *Androvar* y su inextinguible esperanza. No me defraudaron ni Androvar, ni Alsino, ni Pedro Prado.

Diez años más tarde, trasladado yo por circunstancias fortuitas a Chile, me sería posible reencontrar al gran escritor y entrometerme en los pormenores de su obra y de su vida.

Los padres de Prado fueron el médico Absalón Prado, quien falleció el 9 de noviembre de 1905, a los 54 años, cuando su hijo contaba diecinueve y doña Laura Calvo Mackenna, de alta familia con raíces en Irlanda. Doña Laura murió el 21 de diciembre de 1888: su único hijo acababa de cumplir los dos años. La semiorfandad de Pedro marcará su obra. Los que pierden la ternura muy temprano deberán rescatarla algún día, de cualquier manera.

Chile vivía, mientras Prado era mozo, días de plenitud económica y de consiguiente optimismo. Su reciente victoria sobre el Perú le abría el horizonte y... el apetito. Los apetitos de las naciones no suelen nutrirse con sangre de sueños. Sin embargo, a Chile, como contrabote del practicismo desmesurado, le nació entonces la angustia literaria. La generación de Prado lo demuestra. Entre sus compañeros del Instituto Nacional, estaría Rafael Maluenda, uno de los "pioneros" del cuento maupassiánico en Chile, y —por cierto que no es poco— figuran en la misma promoción Eduardo Barrios, Augusto D'Halmar, Armando Donoso, Manuel Magallanes Moure, Alberto Ried, Fernando Santiván: dorada falange, sin duda.

La primera vocación de Prado fueron las artes plásticas. Estudió arquitectura y manejó los pinceles. En compañía de los insignes pintores Juan Francisco González y Julio Ortiz de Zárate, de Alberto Ried y Manuel Magallanes Moure, midió a paso lento los campos del valle chileno, paleta en mano, verso en labio, dispuesto a adueñarse del íntimo e indesvelable secreto de la naturaleza. Cuando murió el padre, varón de gallarda figura desaparecido en pleno vigor de madurez, el escritor retenido y en agraz se lanzará por vez primera al público con el cuento "Álvaro y el Credo", y abrazará el realismo zolaense, en que lo iniciara Maluenda, tenaz opositor de los tolstoyanos que, con D'Halmar a la cabeza, disputaban a los naturalistas los favores del nutrido y entusiasta auditorio ya concurrente a las veladas del Ateneo de Santiago, palestra de ingenios algunos imberbes y otros barbudos.

Prado disfrutaba de la rara fortuna de no necesitar de mayores trabajos para subsistir, y hasta llegó a darse el lujo de actuar como sagaz Mecenas del grupo.

Era rico y emprendedor, al par que discreto y a menudo algo encogido de genio. Creía en Dios y en la familia, un poco chapado a la hidalgona. La soledad de su unicato doméstico le había acostumbrado al largo divagar, a esa intransferencia e inextinguible manía de tejer y destejer el ensimismamiento, característica de todo hijo único. Las misantropías así suelen romper en frutos de cavilosidad y atormentadas soñaciones. Así nació el volumen de versos *Flores de Cardo*, aparecido en 1908, cuando su autor fluctuaba por los veintidós [2].

---

[2] Obras de Pedro Prado: *Flores de Cardo*, Poemas, Santiago, Nascimento, 1908; *La casa abandonada* y *Pequeños ensayos*, Santiago, 1912; *La Reina de Rapa Nui*, novela, Santiago, Imp. Universitaria, 1914; *Los pájarros errantes*, Santiago, 1915; *Los Diez (El claustro. La barca)*, Santiago, Imp. Universitaria, 1915, 112 págs.; *Ensayos sobre arquitectura y poesía*, Santiago, Imp. Universitaria, 1916; *Alsino*, Santiago, Nascimento, 1920; *Fragmentos de Karey I. Roshan* (Trad. de Paulina Orth) (en colaboración con A. Castro Leal), Santiago, 1921; *Poemas en prosa. Antología*. Prólogo y compilación de Antonio Castro Leal, México, Cultura, 1923; *Un juez rural*, novela, Santiago, Nascimento, 1924; *Androvar*, poema dramático, Santiago, 1925; *Camino de las horas. Poemas, sonetos*, Santiago, Nascimento, 1934; *Los pájaros errantes*, Santiago, 1935; *Otoño en las dunas*, Santiago, 1940; *Las estancias del amor* (prólogo y compilación de Raúl Silva Castro), Santiago, Ed. del Pacífico, 1942; *Esta bella ciudad envenenada*, Santiago, 1945; *No más que una rosa* (novela), Buenos Aires, Losada, 1949; *Viejos poemas inéditos*, Santiago, Imp. Huérfanos, 1949. Ha aparecido una antología de sus poemas con prólogo de "Enrique Espinoza" (Santiago, Zig Zag), 1960.

En aquellos días, había llegado a Chile el Presbítero francés Emilio Vaisse, después de ejercer la docencia en un Colegio de la ciudad de Trujillo (Perú). Vaisse era un humanista a carta cabal. América le había empezado a enamorar desde el Perú. En Chile le sedujo el despertar criollo, patente en la polémica entre zolaenses y tolstoyanos, de que nacieron con escasa diferencia de años, libros tan connotados como *Juana Lucero* de D'Halmar, *Sub sole* y *Sub Terra* de Baldomero Lillo, *Manchas de color* de Federico Gana, *Los ciegos* y *Venidos a menos* de Maluenda, y los primeros tanteos de Santiván y Barrios. Todo ello dentro de una tendencia descriptivista, de que emergiría el criollismo a que dio entusiasta respaldo el presbítero francés cuyo seudónimo literario "Omer Emeth" se hizo familiar (y tutelar) para los escritores de la generación de Prado.

El inquieto grupo ensanchó sus bases, pues no sólo aceptó como miembros a escritores, sino que abrió sus puertas a músicos como Alfonso Leng, y al consabido tropel de pintores con Juan Francisco González a la cabeza.

Es curioso advertir que, aunque Rubén Darío residiera en Chile cuando daba los últimos toques a *Azul...*, insustituible breviario de la promoción modernista, los poetas chilenos, sin excluir a Pezoa Veliz, ni luego a Magallanes Moure, fueron renuentes a la influencia directa de Rubén. No creo que por una rebeldía innata, sino por algo más simple: Chile no había madurado su gusto literario. Predominaba en sus intelectuales un inevitable pragmatismo, el cual desemboca en un naturalismo cabalgante. De ahí que entre 1900 y 1910, la polémica literaria prescindiera del modernismo para centralizarse como dijimos en Tolstoy y Zola. Es por eso lógico que el primer libro de versos de Pedro Prado *Flores de Cardo,* aparecido al año siguiente de *Cantos de vida y esperanza* y el mismo año que *Fiat Lux* de Chocano, fuese, en realidad, una visible reacción contra la pompa modernista, y retornara o se replegara a la órbita simplista, bucólica y desguarnecida de retórica tan penetrante en Magallanes Moure, que ya ganaba adeptos en Luis Carlos López (cuyas *Posturas difíciles* son de 1908), en Evaristo Carriego (cuyas *Misas herejes* datan de 1912), en Leónidas Yerovi, así como, *last but not least* en el propio Rubén, quien inicia la respuesta a sí mismo en *Cantos de vida y esperanza,* para acentuarla tajantemente en *El canto errante* y *Poemas de otoño.*

De toda suerte, prescindiendo de citas que pueden resultar pedantes, el hecho es que el primer libro de versos de Prado fue un llamado a la simplicidad, muy concorde con el temperamento solitario, tierno y suave del autor; y que en los poemas en prosa de *La casa abandonada,* su segundo volumen, aquella nota se acentúa, haciéndose, acaso, más líquida, más corriente, menos altanera y bulliciosa.

Los jóvenes escritores santiaguinos de ese tiempo resolvieron juntarse en torno de quien, además de ejercer tan dulce imperio de poesía, contaba con medios bastantes para sostener materialmente las reuniones de la sagrada falange que optó por denominarse con laconismo no exento de rareza: "Los diez".

A pesar de que "Los diez" resultan a menudo doce, es indudable que Pedro Prado, dueño del seudónimo "El hermano errante" y autor ya de otro libro de poemas *El llamado del mundo* (versos asonantados, siempre sencillos, como lo ordenaba la nueva retórica), fue el eje del grupo. Hasta donde se ha podido reconstruir con cierto orden la nomenclatura de los miembros de "Los diez", ellos fueron Pedro Prado, Juan Francisco González, A. Guzmán, Acario Cotapos, Alfonso Leng, Julio Bertrand, Julio García Guerrero, Augusto D'Halmar, Eduardo Barrios y muy a menudo Julio Ortiz de Zárate y Rafael Maluenda. Ya en 1915, "Los diez" patrocinaban los Juegos Florales en que fue ungida la desconocida "Gabriela Mistral". En setiembre de 1916 publicaron la "revista contemporánea" *Los Diez,* en cuyo primer número se formulaba una declaración equívoca, pero sugestiva:

> Los Diez no forman ni una secta, ni una institución, ni una sociedad, carecen de disposiciones establecidas.

Como es corriente en casos análogos, los miembros de la sagrada cábala se jactaban de no tener reglas, lo cual daba al grupo el carácter de un movimiento, no de escuela: es decir, un conjunto de hombres unidos por una comunidad de aspiraciones, más que de objetivos concretos.

Como quiera que fuese, en la década comprendida entre 1915 y 1925, esto es, entre sus treinta y sus cuarenta, Prado, contagiado sin duda y contagiante del frenesí creador de aquella melodiosa tropa, escribe y publica las páginas más delicadas y altas de su obra: *Alsino* (1920) el pastiche *Fragmentos de Karey I. Roshan* (1921), *Un Juez rural* (1924) y *Androvar* (1925). En seguida se produce una pausa, una larga pausa.

Prado había salido de Chile ya en dos ocasiones: la una a Buenos Aires y la otra a Lima, en 1910 y 1912 respectivamente, siempre como representante estudiantil. Se advierte por ello que gozaba de sólida reputación entre los miembros de su generación. También se sabe, a través de las "colaboraciones" o simples transcripciones sin autorización aparecidas en *Los Diez*, que los autores favoritos de ese grupo eran Gorki, Unamuno, Nordau, Guerra Junqueiro y, entre los americanos, Rodó y Vaz Ferreira. Tales citas, excluyendo a los escritores de ficción como Gorki y Guerra Junqueiro, denuncian una cierta preocupación por los problemas sociológicos y de crítica. La anécdota no tiene para estos jóvenes el mismo valor que en otras latitudes. Prefieren la meditación, la exégesis analítica, la profecía. Algo de ello, destilado por un finísimo espíritu solitario y lírico, se da en la obra de Prado correspondiente a ese período.

Alsino, evidentemente lo más puro y alto de la obra de Pedro Prado, retrata, pese a sus sutiles paramentos líricos, el drama íntimo de su autor. Porque no obstante su fortuna personal y su éxito literario, su sosiego doméstico y su rango diplomático, Pedro Prado sufrió de una especie de amputación, quizá por su orfandad prematura, quizá por el choque entre sus sentimientos de hijo único, aislado, a menudo anacoreta, y un mundo bullicioso y cambiante como lo era el de Chile, sobre todo a partir de 1920. *Alsino*, es la historia de un iluso jorobado a quien la fuerza de la ambición hizo nacer alas de su misérrima corcoba. Con alas, este Ícaro redivivo, tuvo el anhelo de volar. Quería conquistar el espacio, tal vez el cielo, como compensación de su deformidad corporal y su infortunio terrestre. En una de sus aventuras, todas ellas poemáticamente, Alsino se allega a la hija de un cazador, y ésta le brinda un filtro, que, en vez de ayudarle a volar, le ciega de los ojos del cuerpo. Ciego, el pobre Alsino se desorienta, tropieza con ramas y troncos, se le hace imposible el vuelo. La muerte será la única solución para la tragedia del hombre enamorado de su propio reflejo...

Un año después, y en colaboración con Antonio Castro Leal, joven escritor mexicano, entonces miembro de la Legación de su país en Chile, resuelve Prado lanzar una broma colosal, análoga a la que Pierre Louys llevó a cabo con sus hechizas *Chansons de Bilitis*: edita los *Fragmentos de Karey. I. Roshan*, "poeta persa (inventado), traducidos (falso) al castellano por Paulina Orth" (inventada). Era la época del auge de Omar-El-Kayam, a través de la traducción de Fritzgerald. La crítica elogió el hermoso *pastiche* de los dos poetas, y hasta a la inexistente cuyo apellido correspondía al que se supone adoptó el fantástico Archiduque Salvador de Habsburgo, desaparecido del mundo cotidiano allá por los días de la tragedia de Meyerling.

En seguida se publica *El juez rural*, libro disonante en la obra de Prado, por su tono naturalista, aunque el factor autobiográfico otorgue al libro categoría poemática, comparable a la de *Alsino*. El escenario corresponde al que Prado mejor conocía: los alrededores de Santiago. Los personajes, el protagonista Sologuren y el poeta Mazarena, podrían ser Prado y Magallanes Moure. Como ocurre en todo aquello tocado por el genio de un poeta auténtico, un penetrante soplo lírico conmueve el relato que debió ser descarnado y pegado solamente a los hechos.

Androvar, el libro subsecuente, subtitulado "Poema dramático en 3 actos", restituye al autor a su atmósfera simbolista o parabólica, a su clima de perplejidad y misterio, tan connatural en todo lírico. No obstante de que se trata de un poema en que actúa Jesús, aparece como elemento básico el amor adúltero de la mujer de Androvar, Elienai, con Gadel, discípulo de éste. No se trata ya de un episodio, sino de un problema ético-psicológico diluido en tres actos para leer no para representar. Prado sostiene el interés mediante su estilo, y más que a causa del conflicto trascendental planteado, hasta terminar con la muerte de Gadel, con que finaliza el libro.

Mientras este ciclo literario en prosa asienta definitivamente la personalidad de Prado como estilista y alegorista eximio, situación impar en las letras chilenas, su vida personal ha experimentado ventajoso cambio. Ya en 1921 actúa como Director del Museo de Bellas Artes; en 1925, el Gobierno le envía como delegado al Centenario de la República de Bolivia; la dictadura le designa luego, en 1927, Ministro Plenipotenciario en Bogotá; allí permanece hasta 1929, en que renuncia. El escritor se entrega prácticamente al silencio por diez años casi, hasta que, en 1934, resucita como poeta con *Camino de las horas* (1934) (sonetario), *Los pájaros errantes* (1935) (poemas en prosa), *Otoño en las dunas* (1940) otro sonetario, *Esta bella ciudad envenenada* (1945) sonetario y *No más que una rosa* (Buenos Aires, Losada, 1946) también colección de sonetos que constituyen sus últimos libros. Porque el tomo de *Viejos poemas inéditos* (Santiago, Escuela de Artes Gráficas, 1949) es una selección, no una creación.

Prado revela en sus sonetos el rigor del estilista. Para entonces ha viajado a Europa. Le rodea el reconocimiento de sus compatriotas, quienes le eligen Presidente de la Sociedad de Escritores de Chile en 1943 y le otorgan el Premio Nacional de Literatura en 1949. Tardíos homenajes. Como hemos dicho, una afasia progresiva amarga los últimos años del poeta. Le recordamos cuando pronunció "Su discurso al recibir el Premio Nacional". Fluye de su prosa una amarga alegría. Ceniza de gozo extinto; postumidad en plena vida.

El maestro, replegado en Viña del Mar, de cara a un océano mohíno y sin embargo efervescente, desde un acantilado dispuesto por la naturaleza para plinto de una nueva audacia de Alsino, contempla el vaivén de las olas y el lento desmadejarse de las nubes. Apacienta, acaso, la huella del acredulce amor crepuscular, que le inspiró los sonetos de *Otoño en las dunas* y que fue, al par que callado y postrer tormento, la silenciosa y torva alegría de su despedida.

¡Cómo se siente, ahora, a la distancia, cómo se aquilatan mejor aquella prosa y aquel verso tan asordinado y empero penetrante; tan sonambúlico, y sin embargo, lúcido, desprovisto siempre de gala excesiva, con un rodaje rico, sin solemnidad; elegante, pero sin lujo.

Si uno refiriese la obra de Prado a la del modernismo, extraería saludables lecciones. Hay en su temática y su estilo algo no común en las letras americanas; el ensueño valeroso y clamoroso. Sin Prado ¿se habrían realizado D'Halmar y Neruda, cuyos poemas en prosa constituyen ciertamente parte fundamental de su poesía? ¿Habría publicado Barrios esa joya que es *El niño que enloqueció de amor*? Pero, a su turno, sin Magallanes Moure y sin Juan Francisco González ¿pudiera haberse liberado Prado del agobio de tanto prejuicio como los que su condición social y credo religioso debían de haber acumulado sobre él? Estas impertinentes preguntas deben ser respondidas por la obra de Prado mismo. Veamos sus perfiles aunque muy someramente.

En realidad, dejando aparte el aspecto confesional que fue muy hondo en Prado, lo que en él predominó siempre fue el sentido estético y la finura psicológica. Nada lo retrata mejor que su propio estilo. Bastará releer algunos pasajes de sus libros. Por ejemplo, éste de *Alsino:*

> Por las heridas que me hacen las incontables oraciones de los hombres, canta mi ser, cuando, al igual de ahora, en vuelo silencioso ¡oh noche! te voy cruzando.
>
> Cuando un pez nada en las profundas y lóbregas simas del océano, con él tropiezan las burbujas llenas de aire triste que suben..., de los buques náufragos. Así cada ruido que ahora a mí llegan, llenos vienen de

algo más liviano y penetrante que la noche ha depositado en ellos.

Sube el sonido de los besos de amor, en lejano crepitar de incendio; ascienden los vagidos de los que nacen a la vida, como balar de rebaños extraviados; trepan los últimos suspiros de los moribundos, con el leve quejido de los cierzos invernales.

Oído a todos ellos a la vez, y risas perdidas y cantos tenaces. Y tal si la vida se paralizara, todos juntos forman un acorde siempre sostenido y constante. Un segundo se confunde con todos y cada uno de los segundos que siguen, y cada noche vienen a ser, así, la negra noche de siempre.

¡Dios mío, oh trágica angustia, la de saber en este vuelo nocturno, que no hay sino presente! Él está ante mí tan inmutable y eternamente idéntico que se diría tu rostro. El tiempo no es sino la medida de los breves pasos de un hombre, recorriendo un camino que reposa, por siempre, a sí mismo igual [3].

Podría decirse en ésta página que es un poema en prosa. Lo es. Pero, es una parte de la novela *Alsino* cuya aura poética se mantiene todo el tiempo, párrafo a párrafo, inconmoviblemente exacta. La adjetivación y las comparaciones (más que metáforas) utilizadas por Prado en su obra no se limitan a sus dos libros capitales *Androvar* y *Alsino*, sino que invaden incoerciblemente todos los demás. Un párrafo descriptivo, que pudo ser pedestre, en *La reina de Rapa Nui*, cobra a poco de levantar su vuelo la prosa, caracteres poemáticos. Resaltemos el prosaísmo y el lirismo en lo que sigue:

Penetramos en una pieza grande, casi desmantelada, con periódicos amarillentos en las paredes. Sentados en torno de una mesa pequeña nos dispusimos a beber.

---
[3] Prado, *Alsino*, cuarta edición, Santiago, Nascimento, pág. 105.

Los imité maquinalmente. Estaba como bajo el aturdimiento de un gran golpe que me hubieran asestado en mitad de la frente. Hubiera querido que nadie advirtiese mi presencia; pero tuve que explicar una vez más el objeto de mi viaje. Y la verdad es que no se me ocurría qué decir [4].

Sin duda hoy se habría abreviado este relato suprimiendo algunas inútiles frases complementarias e incidentales. Mas, pese a ello, el temple de la prosa revela parquedad y contención, es decir, contenido e intensidad. De ahí al verso, o mejor a la poesía, la distancia casi no se advierte: No se advirtió jamás en la obra de Prado, castigada o no, siempre poética. Por eso, aunque *Un juez rural* y *La reina de Rapa Nui* sean confesamente novelas, la verdad es que en ningún instante pierden el empuje lírico que las homologa con las novelas de Francis Jammes y Federico Mistral, y, a menudo, con las de "Azorín" y Valle Inclán, todas ellas envueltas en un aura poética de alucinación y sortilegio, cuyo señuelo se impone sobre lo prosaico del relato, haciendo al instrumento lógico, *ancillae* del instrumento lírico congenial de su autor.

---

[4] Prado, *La reina de Rapa Nui*, segunda edición, Santiago, Nascimento, pág. 41.

XXXVIII

ABRAHAM VALDELOMAR (El Conde de Lemos)

(Ica, Perú, 27 abril 1888 — Ayacucho, Perú, 3 noviembre 1919)

Fue hijo de Anfiloquio Valdelomar y de Carolina Pinto. Nació en la agraria ciudad de Ica, el 7 de abril de 1888, empezando el otoño, el cálido otoño iqueño. Su familia habitaba, a causa de la ocupación de su padre, en la hacienda Caucato del Valle de Pisco, en el mencionado Departamento de Ica, al sur de Lima. Ahí y a menudo en la playa de San Andrés de los Pescadores, transcurrió la infancia de Pedro Abraham, hijo tercero de una familia de seis vástagos. Estudió probablemente la primaria en el Colegio de San Luis Gonzaga o en alguna escuela local; la secundaria, en el de Nuestra Señora de Guadalupe de Lima, de donde regresaría el año 1904. Al matricularse en el primer año de la Facultad de Letras de la Universidad Mayor de San Marcos, el 19 de abril de 1905, comete una falsedad: confiesa sólo quince años [1]. Más tarde, corrige el involuntario o deliberado error, al matricularse por segunda vez, aunque siempre en el mismo año de estudios, el 19 de julio de 1910 [2].

---

[1] *Libro de matrícula de la Facultad de Letras,* Universidad Nacional Mayor de San Marcos, 1898-1908, volumen 167, pág. 154, Archivo Domingo Angulo de la Universidad.

[2] *Libro de matrícula,* citado, vol. 168, pág. 59.

¿Qué ha pasado entre 1905 y 1910 para suspender los estudios? Quizá por inquietud propia o por estrecheces económicas familiares, Abraham se ve obligado a dedicarse a dibujante y un poco a periodista; lo de poeta será fatalidad incoercible igual que el dandysmo. Tenemos como testimonio las páginas de *Monos y monadas* (1905-07), *Actualidades* 1906-07), *Variedades* (1908-32), *Cinema* (1909), *La ilustración peruana* (1909-13). En aquel período, entre sus diecisiete y sus veintidós de edad, Valdelomar fue más caricaturista que escritor y, desde luego, más escritor que universitario. Pero, si fue simultánea su actividad como dibujante y poeta, la de cuentista vino a *posteriori*. Se adiestró para ella por medio de las sabrosas crónicas escritas en Zarumilla y Tumbes, al Norte del Perú, cuando, soldado del Batallón Universitario, sentó plaza a causa del cuasi *casus belli* con el Ecuador, en abril de 1910. Fue entonces compañero de armas de los miembros de la generación "arielista": José de la Riva Agüero, José Gálvez, J. B. de Lavalle, Felipe Barreda y Laos, Raymundo Morales de la Torre. Las crónicas se titulaban *Con la argelina al viento*: las premió la Municipalidad de Lima en las Fiestas Patrias de aquel 1910. Para entonces ya está publicando o pergeñando sus dos primeras novelas cortas: *La ciudad de los tísicos* (*Variedades*, 1911) y *La ciudad muerta* (*La ilustración peruana*, 1911). Con ello consagra su prestigio literario. El de estudiante, no. Después de rendir unos cuantos cursos, torna a matricularse en Letras tres veces el 17 de abril de 1911, el 24 de mayo de 1912 y a comienzos de 1913. Para esta última época, Valdelomar se ha lanzado a la política, como adherente a la candidatura presidencial de don Guillermo E. Billinghurst, hombre culto, adinerado, populista y de sensibilidad social. El Congreso proclama Presidente a Billinghurst en 1912: había ganado los comicios. El 12 de mayo del siguiente año, el nuevo gobierno nombra a Valdelomar, segundo Secretario de la Legación del Perú en Roma. El joven neo-diplomático no tarda en partir: es ya junio, caen las primeras garúas invernales sobre Lima. Le deslumbrará el súbito verano de Nueva York, donde permanece algunas semanas: de eso hay huellas literarias en cierto inesperado tono futurista de sus escritos de la época. Sigue el viaje. Valdelomar se detiene poco en París. Finalmente arriba a la Ciudad Eterna el 7 de agosto [3]. El estío se halla en su punto: quema. El recién llegado se dedica a observar, recordar y escribir.

Envía numerosas y sorprendidas crónicas al diario gobiernista *La Nación* de Lima, dirigido por Juan Pedro Paz Soldán y del que es redactor Enrique Bustamante y Ballivian, fino poeta y fiel amigo [4].

Sabrosas crónicas: las que comentan las fotografías de Bonaventura y elogian a los gatos de Roma, son preciosas. Le muerde y remuerde la añoranza del terruño, acaso por culpa de la soledad. Soledad siempre temida y turbadora. El 8 de octubre, en carta a su madre, Valdelomar le comunica que ya ha remitido a Bustamante y Ballivian el original del cuento "El caballero Carmelo" a que deberá su fama: con él participará y vencerá en el concurso abierto por el mencionado diario. Decidido a publicar un libro, redacta un poema en prosa como prólogo para la colección de cuentos que, bajo el título de *La aldea encantada*, debió editarse en Madrid. El título propuesto lo dice todo. Ha nacido el narrador melancólico, nostálgico de las estancias y peripecias de la lejana tierra.

En el Perú, la situación política se ha hecho insostenible. El 4 de febrero de 1914, el Coronel Óscar R. Benavides se subleva contra su hasta el día anterior Presidente Billinghurst, y lo derroca. Apenas dos días después, Valdelomar conoce lo ocurrido, renuncia irrevocablemente a su cargo. La carta en que lo anuncia a su madre es de una dignidad ejemplar; en ella alude a la situación de don Anfiloquio, su padre, que era Director de la

---

[3] La Resolución Suprema en que se nombra a Valdelomar, tiene el número 484, de agosto, 1913, *Archivo de Relaciones Exteriores*, Lima.
[4] A. Valdelomar, *La ciudad muerta. Crónicas de Roma*, prólogo de Estuardo Núñez, tirada aparte de *Letras* y publicación núm. 9 del Instituto de Literatura de la Facultad de Letras de la Universidad Mayor de San Marcos, Lima, 1960.

Penitenciaría de Lima bajo el gobierno de Billinghurst. Uno de sus párrafos dice:

> Creo con toda mi alma que mi papá se habrá dejado matar antes de quedarse un día en el puesto, y que por ninguna fuerza del mundo habrá cometido la ignominia de permanecer allí para ser carcelero del hombre más honrado que ha tenido el país. Si hubiera sido, que no lo creo ni lo creeré jamás, no me volverían a ver. Sólo me desvela y me consume la situación de Uds., los vejámenes a que los habrán sometido y la miseria que nos amenaza. Por mí no se preocupen para nada. Soy joven, y no me faltan fuerzas para vivir y luchar. Y de donde esté les mandaré lo que pueda... Aún no sé si me iré a Iquitos o a Buenos Aires, porque en Roma no puedo quedar. Como comprenderás lo primero que hice fue renunciar irrevocablemente mi puesto, pues no cometeré la ignominia de servir al lado del que ha traicionado a mi amigo [5].

El retorno de Valdelomar al Perú fue accidentado y triste. Nuevamente para en París, donde le sabemos el 14 de mayo de 1914. Desde luego, en Lima, se dedica a conspirar: no podía hacer menos. Lo encarcelan por unos días en compañía de Alfredo González Prada, a causa de una pintoresca conjura llamada "de la Cruz de Yerbateros". Al ser puesto en libertad no tarda en emplearse como lector y secretario de José de la Riva Agüero, historiador joven, a quien había conocido en Europa y de quien había recibido algunas finezas. De ello habla Valdelomar en carta de 22 de diciembre de 1913, a su madre. Es entonces, en 1914-15, cuando escribe *La Mariscala*, biografía novelada de doña Francisca Zubiaga de Gamarra, una mujer como pocas, ante cuyo infortunio se rindió el áspero carácter de Flora Tristán, "la paria"; Valdelómar vive por esos días en pleno gali-

---

[5] A. Valdelomar, *Obra poética*, Lima, Asociación Peruana por la Libertad de la Cultura, 1958, pág. 126.

cismo mental y verbal. Como una contradicción flagrante de tal proclividad, dedica su primer libro a José de la Riva Agüero. Aparece impreso en los talleres de la Penitenciaría, con forro de papel color oro opaco, sobre la cual resaltan los caracteres rojos y negros del título, muy a lo siglo XVI, o a lo Ramón del Valle Inclán. Ya es 1915. En unión de Enrique Bustamante, Valdelomar planea una revista titulada *Cultura*, que será una convocatoria a todos los frentes intelectuales. La publicará Bustamante solo, porque Valdelomar habrá perdido para entonces el gusto por la historia, la literatura seria y la rutina. Son sus momentos aurorales de renacida adolescencia, aunque le quede muy poco de vida...

Podría decirse que aquel instante define la carrera literaria de Abraham: carrera meteórica, por lo breve y luminosa. Será la eclosión de una juventud deslumbrante y deslumbrada. Su ciclo abarcará apenas el lapso de los veintisiete a los treinta y uno de la edad del escritor. ¡Así de temprano concluye físicamente el periplo vital de Abraham Valdelomar!

Esta carrera literaria muestra los más llamativos y contradictorios signos. Querrá enfrentarse a la sociedad de Lima, primero; del Perú entero, después: sociedad impermeable a todo valor nuevo que no luzca ciertos apellidos; hostil en sumo grado a la inteligencia libre; adversa decididamente a Valdelomar, a causa de sus ideas estéticas, de sus vocingleros usos privados, de su antigua filiación política, de sus caracteres pigmentales, de sus sistemáticos desplantes. En los últimos busca Abraham su mejor defensa. Imbuido, además, de la misión apostólica del escritor; dueño de un sincero desprecio a los "beocios" a quienes singulariza sardónicamente como "los hombres gordos que manchan el paisaje"; convencido de que la Universidad no ilustra ni guía, por lo que el adjetivo de "Universitario" adquiere en su pluma y su palabra la equivalencia a necio, presumido e ignorante; resuelto a abrirse paso de cualquier manera; dueño de una sensibilidad exquisita y de una ternura rayana en lo infantil y hasta en lo femenino, Valdelomar quema sus naves y se consagra a una campaña literaria en que cosechará por igual laureles y espinas, elogios y dicterios, como cualquier personaje político, no obstante què el suyo era un caudillaje puramente estético, y que no capitanearía sino a escritores, y a escritores jóvenes como él o más que él. La nómina de éstos es numerosa y sugestiva: Medardo Ángel Silva, el precoz suicida de Guayaquil; Jorge Hübner Bezanilla, suave lírico de Chile; Aurelio Martínez Mutiz, versista épico de Colombia, y del Perú, José Carlos Mariátegui, Antenor Orrego, el mismísimo José María Eguren (mucho mayor en edad), Federico More, Percy Gibson, Félix del Valle, Alcides Spelucin, Augusto Aguirre Morales, Alberto Hidalgo, César Vallejo, César Falcón, Alberto Guillén, Luis de la Jara. ¿Quién no, entonces?

Es curioso y sorprendente ver cómo se apodera Valdelomar del gusto y la voluntad de los escritores contemporáneos, y los incita a rebelarse contra lo consabido, pero sin perder jamás la compostura humorística. Practica una desconocida especie de beligerancia literaria: ruidosa, irónica, insolente y amical. Se ha forjado un arquetipo de escritor y de hombre —¿Oscar Wilde, Gabriel D'Annunzio?— y decide deslumbrar al ciudadano común con el lujo de sus exquisiteces, no siempre reales, pero siempre, sí, ostentosas. Acaso pensando en volver a sus ocupaciones diplomáticas, acepta la secretaría privada del Ministro de Relaciones Exteriores, Dr. Enrique de la Riva Agüero y Riglos: será su última concesión.

La revista que Valdelomar publica en 1916, *Colónida*, queda como una fecha en las letras peruanas de nuestro siglo. Su discurso fúnebre ante la tumba del poeta Leónidas N. Yerovi, suscita una apasionante tempestad de protestas y encomios. Practica, empero, un criollismo estético, una suerte de nacionalismo literario, alejado de todo folklorismo, saturado de esencias artísticas. Es el creador del neocriollismo cuyo estandarte será su libro *El caballero Carmelo* [6].

---

[6] Frecuentemente se menciona como fuente bibliográfica completa sobre la obra de Valdelomar la de Nancy Castañeta, de la Biblioteca Nacional de Lima. Se trata de un trabajo sumamente prolijo. La obra coleccionada de Valdelomar la componen los volúmenes: *La Mariscala*,

Este libro coincide con la derivación hacia el nacionalismo dinámico, no sólo literario sino también político. Ha aprendido de D'Annunzio la lección de Fiume y, aunque Estuardo Núñez afirme que, precisamente al llegar a Roma, Valdelomar dejó de ser dannunziano y se convirtió al criollismo, lo cierto es que el dannunzianismo se le reenciende después y en forma proselitista (si alguna vez se le apagó), de lo que deriva su campaña oral, a través del país, campaña en que, so capa de discursos literarios y "exquisitas divagaciones estéticas", trata de remover la fe ciudadana en los destinos del Perú. A esa época pertenecen sus cantos en prosa *A la Bandera, A San Martín* y su adhesión al candidato presidencial Augusto B. Leguía.

En ello no hay ni sombra de versatilidad política, puesto que ya había fallecido Billinghurst. Finalmente Valdelomar acaba siendo electo diputado regional por Ica. Se instala el Congreso Regional del Centro, que le unge Secretario: al asomarse a un rellano de la escalera, Valdelomar da un traspiés y cae a un profundo silo (1.º de noviembre de 1919). Vestía de frac y estaba perfumado: se quiebra la columna dorsal. Muere dos días después entre espantosos dolores.

Poco antes, ha publicado el nombrado volumen, *Belmonte el trágico* en que intenta una revolución del toreo y del sentido

---

Lima, Penitenciaría, 1915; *El caballero Carmelo,* Lima, Penitenciaría, 1918; *Belmonte el trágico,* Lima, Penitenciaría, 1918; *Los hijos del sol,* Lima, Euforión, 1921; *La ciudad de los tísicos,* Lima, ed. Mejía Baca; *Obra poética,* Lima, Asociación Peruana por la libertad de la cultura, 1918 (compilación de Javier Chessman); *La ciudad muerta. Crónicas de Roma,* publ. por el Instituto de Literatura de la UNMSM, 9, con pról. de Estuardo Núñez, 1960. Hay también una especie de Antología, titulada *Obras escogidas* por Jorge Falcón, Lima, Hora del Hombre, 1947, y *Cuento y Poesía,* selección por A. Tamayo Vargas, Lima, Patronato del libro universitario, 1959. Aparte de esto se deben buscar artículos y cuentos no coleccionados en las revistas señaladas en el texto y muy en especial en *La prensa* de Lima, 1915-1918; *Mundo limeño,* Lima, 1918-19; *Sudamérica,* Lima, 1918-20; *Balnearios,* Barranco (Lima), desde 1913 hasta 1920; *Variedades,* Lima, 1911 a 1920; *Colónida,* Lima, 1916; *Rigoletto,* Lima, 1916, etc.

patético de la vida: es una insólita interpretación estética del arte taurino. El libro contiene páginas inolvidables.

En esta vida corta y veloz, cuya órbita abarca sólo treinta y un años, cuya actividad plasticoliteraria cubre quince, pero cuya auténtica influencia y verdadera acción se desarrolla en sólo cinco, uno no sabe qué escoger ni qué pensar. El personaje en sí emana un sortilegio intransferible, tanto o más que el jugoso escritor.

La peripecia biográfica se presenta, pues, henchida de episodios atrayentes y hasta escandalosos; el estilo literario sorprende por sus flexiones, inflexiones y pocas reflexiones; por su maravilloso poder de evocación, por el acierto y riqueza de la narrativa, la originalidad de las glosas, el desparpajo de las opiniones y la valentía de las figuras. Se advierte, que nos encontramos ante un hombre para quien el tiempo significa mucho, prácticamente todo; un hombre que no cree en otra perennidad que en la de lo fugitivo, preocupado en que no se le escape ninguna posibilidad de hacer. Y hace todo el tiempo. Pero ¿Qué hace?

Es posible que no todos los observadores de la vida y los lectores de la obra de Valdelomar puedan captar realmente su mensaje. Se reúnen en su persona y su literatura elementos tan singulares, apetencias y recuerdos en cierto modo tan inauditas, que si se le juzga en función de otros escenarios no tendría la misma fuerza ni la misma importancia que aplicado al panorama peruano. En unos casos su actitud sería verdaderamente increíble e inaceptable; en otros, un poco cursi, atrasada y repitente. De toda suerte, nadie le confunde con el común de las personas ni de los escritores. Su característica fue la originalidad a toda costa. Tuvo el difícil don de hacerla accesible sin perder el humor ni la propiedad del gesto. No es frecuente que así ocurra.

De las varias facetas del personaje y su obra distingamos, primero, la que se refiere a aquél. El hombre trataba de ser un *dandy;* de disimular bajo capas de polvo de arroz, el color trigueño de su tez de mulato claro, afectaba un desembarazo y una elegancia algo excesivas y rotundamente singulares; usaba frases agudas, irónicas y lapidarias; no perdonaba sarcasmo con tal de atraer el interés de los otros; solía besarse las manos en público, diciendo que lo hacía porque sus manos "habían escrito cosas bellas". Luego soltaba el trapo a reir de sus "boutades". Saboreó los paraísos artificiales y captó para eso muchos discípulos entre los jóvenes escritores. Sin embargo era juguetón, sencillo, generoso y tierno [7]. El grupo de que se rodeó fue el más sobresaliente de las letras de su tiempo, tanto en el Perú como en Ecuador, Colombia y aun Chile y Bolivia. Entre sus afectos figuraban los escritores de la generación que lo precediera, porque aun siendo *poseur* y egolátrico, respetaba las jerarquías. Son memorables sus actitudes frente a González Prada, Ricardo Palma, Chocano y Eguren, a quienes pagó tributo discipular.

Todo escritor posee, he dicho, varias vertientes. Podríamos distinguir ya en Valdelomar al poeta eclógico, al narrador evocativo y neocriollista, al comentador irónico, al periodista político; al periodista literario; al ensayista aparentemente frívolo, etc.

Si aplicáramos un método cronológico para el análisis de Valdelomar, deberíamos comenzar por el poeta, aunque, en rigor, lo fue siempre; sus cuentos y crónicas, sus actos mismos se encuentran saturados de lirismo. Pero, ciñéndonos a los versos, recogidos sólo hace pocos años en el tomo *Obra poética,* por mi alumno el Dr. Javier Chessman, hallamos en ellos material de fina estirpe, susceptible de análisis y deducciones de verdadera importancia para establecer los valores en el Perú de 1910-1919.

Primero Valdelomar fue secuaz del modernismo, quizá el más auténtico modernista de los peruanos residentes en el Perú, con

---

[7] Sobre Valdelomar hay una larga bibliografía; señalamos: Luis F. Xammar, *Valdelomar: Signo,* Lima, 1940; José Carlos Mariátegui, *Proceso de la literatura peruana,* en *Mundial,* Lima, 1927 y en *Siete ensayos de interpretación de nuestra realidad,* Lima, Amauta, 1928; Estuardo Núñez, Augusto Tamayo Vargas: prólogo a *Cuento y poesía* cit., y *La literatura peruana,* Lima, 1952, tomo II, prólogo a *La ciudad muerta,* cit.; Alberto Tauro, *Apuntes de literatura peruana,* Lima, Palabra, 1949; Enrique Castro Oyanguren, *Páginas olvidadas,* Lima, 1921, cap. sobre Valdelomar.

excepción de José Lora y Lora y de Ventura García Calderón. Los poemas "Ha vivido mi alma", "Los pensadores vencidos", "La ofrenda de Odhar", "Los violines húngaros" y "La tribu de Korsabad", reflejan la ineludible impronta de Darío y sus compañeros. El metro usado es el alejandrino francés; los temas, exóticos; el vocabulario, discretamente erudito y rebuscado (*Tartufo, Lesbis, fauna, bufón, sátiros, saetas, rosas, pámpanos, vestales, nubios, violines, húngaros, mirra, Puerta Nomentana, marfilinos, faraones, cabellosas, Samarkanda, Okhar, peristilo, princesitas, princesas, Korsabad, iconos, timbales, Armenia*, etc.). Era el año de 1910. El poeta tenía veintidós años. De esta época, lo más significativo de su obra verificada es el *Tríptico* (*Evocación de las abuelas, Evocación de las granadas y Evocación de la ciudad muerta*), pertenecientes al esbozo de novela titulado *La ciudad muerta*. Insiste en la evocación de períodos históricos remotos y regiones geográficas distantes, en lo que coincide tanto con el exotismo de las modernistas como con el lejanismo de los románticos: de ambos elementos se componen la personalidad de aquel Valdelomar.

Después del viaje a Italia, cambia el tono. Se vuelve más personal y también más peruano y cosmopolita, casi diríamos periodístico. Así en "Diario Íntimo", que data de fines de 1912, aparecen voces criollas como "paraca", y versos audaces de sencillo tono descriptivo, que podríamos asimilar a ciertas maneras enumerativas de Whitman o de "Azorín", pero acompañada de precisos adjetivos como:

> *La aldea* abandonada, *adormida al tenaz*
> *sollozo* lento *de las olas, los raquíticos pinos,*
> *la iglesia* triste, fría, severa y secular,
> *los frágiles toñucos del verde toñuzal,*
> *los pescadores* indios, inocentes y buenos,
> *todas mis ilusiones ingenuas idas ya...*

Data de 1913 el soneto "El hermano ausente en la cena de Pascua", que transcribo entero:

> *La misma mesa antigua y holgada de nogal;*
> *sobre ella la misma blancura del mantel,*
> *y los cuadros de caza de anónimo pincel...*
> *y la oscura alacena: todo, todo está igual...*
>
> *Hay un sitio vacío en la mesa, hacia el cual*
> *mi madre tiende a veces su mirada de miel*
> *y se musita el nombre del ausente, pero él*
> *hoy no vendrá a sentarse en la mesa pascual.*
>
> *La misma criada pone, sin dejarse sentir,*
> *la suculenta vianda y el plácido manjar;*
> *pero no hay la alegría y el afán de reir*
>
> *que animaban antaño la cena familiar;*
> *y mi madre que, acaso, algo quiere decir,*
> *ve el lugar del ausente y se pone a llorar.*

Puede reprocharse a este soneto algún prosaísmo ("Pone a llorar", "pone la suculenta vianda"): detalles nimios. El tono general es de una apretada y viril emoción; la capacidad de evocar y describir, mediante expertos adjetivos, no admite duda. La presencia de la aldea y del hogar en la memoria del viajero (estaba en Italia) significan una transformación absoluta en su temperamento artístico y en su forma literaria. Como la prosa era su modo expresivo natural, vuelca aquella poesía nemorosa al ambiente nativo, y surge, primero, el prólogo poético a *La aldea encantada*, tomo de cuentos destinado a prensas españolas que nunca llegó a aparecer, y los magníficos cuentos "El caballero Carmelo", "Los ojos de Judas", "El vuelo de los cóndores", "El buque negro", lo más representativo, desde luego, de la obra valdelomariana.

Es muy sintomático que en el escritor peruano se opere la misma espontánea evolución que en Darío, Nervo, Chocano, González Martínez, Lugones, o sea, que fuese de la opulencia formal a la sencillez expresiva. ¿Signo de maduramiento? En todo caso, observemos, ese mismo proceso se presenta en Darío a los treinta y ocho años, en Nervo a los cuarenta, en Chocano a los treinta y nueve, en Lugones a los treinta y cinco, en Valdelomar será a los veinticinco. Es decir, que si la suntuosidad se confunde con su adolescencia, su juventud ya madura o madurecida, será directa en su elocución y muy tierna en su tono, con las blanduras de un Bradomín de las cosas, no de las mujeres, como que Valdelomar fue constante lector de don Ramón del Valle Inclán, y su manera de adjetivar se parece a la de aquél.

En adelante al versificar hará alardes de romántica evocación o de cínico desplante. Empieza el año de 1916. Cuando prologue un libro del poeta Alberto Hidalgo, su entonces joven imitador, le dirá con pueril petulancia:

> *Hermano, estoy enfermo de vida solitaria;*
> *solo entre tanta gente de idealidad precaria;*
> *intermitente espíritu y alma universitaria...* [8]

En medio de tales alardes, se forja la obra perdurable, la del cuentista neocriollo, que sabe desleír las durezas de la vida lugareña, sin muchos revoques, en un estilo diáfano, sugestivo, directo y sencillo, sobre el que, sin embargo, flota una suave niebla de romántica melancolía.

Valdelomar había ensayado esta prosa, muy pegado al hueso de D'Annunzio antes de ir a Italia. *La ciudad muerta. Por qué no me casé con Francinette* (publicada en *La ilustración peruana*, Lima, 1911) es una extraña revelación al respecto. Un esteta y arqueólogo francés, llamado Henri, es el motivo de la novela. Está escrita en forma epistolar, en cartas dirigidas a Francinette, fechadas en Río de Janeiro. Henri tiene la clave para llegar a una ciudad muerta, especie de Pompeya, cubierta por el polvo de los siglos, y que resulta, sin duda, una especie de Lima cubierta de lava o tierra. El autor ayuda a descender a un pozo, sostenido de una cuerda; cuando dicha cuerda llega a su fin

---

[8] Valdelomar, *Obra poética*, pág. 61.

siente que el explorador se pierde en el abismo. El relato tiene una juvenil mezcla de idioma francés no bien dominado, citas de D'Annunzio y Maeterlinck nada oportunas, y una penetrante atmósfera de misterio, en que se combinan consideraciones estéticas, poéticas y... antropológicas. Y, además se halla taraceado de largos poemas en verso.

La ciudad de los tísicos se desarrolla también dentro de un ambiente esotérico. Probablemente era la época en que Valdelomar leía a Poe, Hoffmann, Chejov y Pushkin, Lorrain y D'Annunzio. Me consta su devoción constante, hasta casi su muerte, por D'Annunzio, Pushkin, Poe y Chejov. Yo conocí al segundo hacia 1918 a través de Valdelomar.

Pero, en realidad, toda la prosa de Abraham anterior al viaje a Europa, o sea, antes de 1913, resulta europeizante; al revés, durante y después de este viaje el escritor experimenta el extraño y peligroso sortilegio de la nostalgia, y entonces surge el gran cuentista y ensayista cuya huella es y será imborrable en la literatura del Perú.

Repitámoslo; los cuentos, crónicas y relatos neocriollos de Valdelomar poseen un encanto peculiarísimo.

Tal vez, dentro de un estricto cartabón preceptivo, se podría impugnar la calidad de "cuentos" a los de Valdelomar. Si la esencia de este género reside no sólo en su brevedad y fantasía, sino también en lo inesperado de su desenlace, valdría la objeción. Pero, existen otros ingredientes insoslayables. Uno de ellos, el sostenido creciente interés, la amenidad, la imaginación. "El caballero Carmelo", por ejemplo, es la historia de un gallo de pelea que la familia del artista tenía en su hacienda de Caucato; gallo en el que se concentraba la admiración y la ternura de los niños de la casa. Al final, el gallo, llamado "El caballero Carmelo" a causa de su genio y su color, expira víctima de una puñalada de su adversario, pero, antes de morir, en un esfuerzo heroico, asesta un espolonazo también mortal a su matador, y lo vence al obligarlo a "enterrar el pico" antes que él. En "Los ojos de Judas", el motivo es la evocación de unos juegos aldeanos, en que un figurón que representaba al traidor apóstol Judas, lanza destellos por los ojos vacíos. "El vuelo de los cóndores" refiere el episodio tiernísimo de una compañía de circo que llegó al pueblo de Pisco, donde el autor residió en su niñez, y el amor que despertó en el infante una muchachuela acróbata, enferma y pálida, que realizaba la prueba llamada "El vuelo de los cóndores". El niño la ve partir, doblegada por la tisis, después de que la infeliz sufriera una caída del trapecio.

Los argumentos parecen, así presentados, banales. No obstante, la atmósfera en que los envuelve Valdelomar está impregnada de poesía y de una contagiosa tristeza. Hace recordar dos versos, finales de un soneto, del propio escritor: "mi padre era callado y mi madre era triste, y la alegría nadie me la supo enseñar".

Los elementos formales con que Valdelomar construye sus cuentos son, a primera vista, de una sencillez adolescente. En verdad revelan gran maestría. Es la sencillez largo tiempo macerada, el fruto de un espléndido maduramiento.

> Un día después del desayuno, cuando el sol empezaba a calentar, vimos aparecer desde la reja, en el fondo de la plazoleta, un jinete en bellísimo caballo de paso, pañuelo al cuello, que agitaba al viento, sampedrano pabellón de sedosa cabellera negra y henchida alforja, que picaba espuelas en dirección a la casa... [9].

Puede uno desear el holocausto de uno o dos "que", pero de ninguna manera podrá olvidar la plasticidad de esa figura tan exacta y poemática evocada, sin alardes retóricos, toda ajustada a la realidad misma. Es más penetrante aún otro fragmento descriptivo:

> Entró el viajero al empedrado patio, donde el ñorbo y la campanilla enredábanse en las columnas como venas en un brazo, y descendió en los de nosotros.

---

[9] Valdelomar, *El caballero Carmelo*, Lima, Penitenciaría, 1918.

La calificación toma desde ahí un ritmo ascendente. Vendrán rara vez los adjetivos solos, acudirán a pares, multiplicándose y confirmándose: por ejemplo "quesos *frescos y blancos*"...; "*leves, esponjosos, amarillos y dulces*" (bizcochos); "un viejo *dulce y bueno*"...; "el pan *caliente y apetitoso*"...; "sus *redondos* ojos *brillantes*" (de los conejos); "el pavo siempre *orgulloso, alharaquero y antipático*"...; "jóvenes *flacos y golosos*"...; "*suplicante y lloroso*"...; "el *fuerte* pecho *desnudo*"...

Valdelomar describe maravillosamente cada aspecto de la vida pueblerina; fija y trasmite imágenes inolvidables de los animales y los patos, cabritos, perros, caballos, pavos, aparecen en su obra con impresionante gravedad.

Cuando encara episodios de la historia incaica, no abandona esa prolijidad de miniaturista eximio, sin perjuicio de su grandiosidad épica.

"El camino hacia el sol" parece un gran lienzo: podría llevar la firma de Delacroix o de Flaubert, o quizá de Pierre Louys a quien Valdelomar se acerca al final de su carrera, sobre todo en el cuento "El alfarero".

No se detiene allí Valdelomar (quien traviesamente firmaba con el seudónimo de "El Conde de Lemos"), sino que se escapa por las veredas de unos supuestos y muy sintéticos *Cuentos Yanquis*, y destila su risueño rencor político en unos llamados *Cuentos Chinos*.

Además, dilapidó su estilo, su ingenio, su osadía y su talento en crónicas no coleccionadas, que llevaban como título *Diálogos máximos, Neurones, Fuegos fatuos, Decoraciones de ánfora*, etc. En todas ellas, por debajo de la anécdota o la glosa central, circula una admirable y poderosa corriente de buen gusto, finura y humorismo. Tal vez, podría decirse que este finísimo esteta, único en la literatura peruana, alcanzó el difícil arte de burlarse de sí y de los demás, pero sin dejar de ser al mismo tiempo dramático y a menudo elegíaco.

Hubo y hay en el estilo de Valdelomar gérmenes no revelados aún. Constituye él solo, sin duda alguna, toda una etapa artística: la que en el Perú va de González Prada a Palma, de

Prada a Vallejo, a quien él reveló, alentó y presentó al público peruano.

El movimiento "colónida", iniciado por la revista que con tal nombre editó Valdelomar, ha recibido emocionado recuerdo de José Carlos Mariátegui, otro secuaz de nuestro autor.

El movimiento "colónida" halló fortuna en toda la ribera del Pacífico. Valdelomar tuvo émulos tan cercanos y ceñidos como los que ya hemos mencionado: Medardo Ángel Silva, en Ecuador: Antenor Orrego y Alberto Hidalgo, César Vallejo y José Carlos Mariátegui, en el Perú: escritores de ala y sonda, como su modelo y progenitor literario aquel genial y lírico mulato Abraham Valdelomar, "El Conde de Lemos", nada más y nada menos que un escritor de raza, un artista sin cuestión.

XXXIX

RAMÓN LÓPEZ VELARDE

(Jerez, Zacatecas, 15 junio 1888 — México D. F., 19 junio 1921)

> *¡Qué triste será la tarde*
> *cuando a México regrese*
> *sin que esté López Velarde!*
> José Juan Tablada

Conocí la poesía de López Velarde y tuve noticia exacta de su autor al mes siguiente a su muerte. Fue Antonio Caso, el insigne maestro y filósofo del Anáhuac, quien nos llevó a Lima, con una colección de libros de sus contemporáneos, la imagen y la palabra del gran poeta trunco. Desde entonces, que es cuando leí *Zozobra,* tengo el deseo de escribir algo sobre el gran poeta de lo íntimo.

López Velarde me dio la más honda impresión de poesía raigal, entrañable. Había abolido la retórica. Era su verso la culminación del mal llamado "posmodernismo", que no consiste en otra cosa que en la definitiva superación de la elocuencia romántica, sustituyéndola con la mediavoz simbolista y el prosaísmo deliberado, revés del énfasis decimonónico. Yo, que era asiduo lector de Samain, Coppée y Francis Jammes, del Marquina de las *Elegías,* de Enrique de Mesa, García Lorca, Salinas, Guillén, los

Machado y Juan Ramón Jiménez, me sentí distendido y a mis anchas transitando por aquellas provincianas alamedas de esbeltos arbustos y gordas personas, apacibles y ateridas, cuya tristeza se resolvía en tedio, cuyo recogimiento traslucía resignación. Ni el segundo Darío, ni el total Amado Nervo, ni la sencillez espartana de Francisco Icaza, ninguno alcanzaba tan pareja y melodiosa monocordia. El bostezo había tenido dimensión estética. La piedad, más que virtud, era norma. Así apareció ante mí López Velarde. No imaginaba que hubiese logrado, pues no lo había leído aún, la deliciosa altura humana de *La suave Patria*, poema paradigmático, hasta ahora impar.

Juan Ramón López Velarde [1] nació en Zacatecas el 15 de junio de 1888, del matrimonio de don Guadalupe López Velarde y doña María Trinidad Berumen, ambos oriundos del norte de México. Esta permanencia que podríamos llamar congénita, de la provincia en la vida de López Velarde, sería decisiva para su obra. A los doce años le matricularon en el Seminario Conciliar de Zacatecas; por esa época se enamoró castamente de Pepa, de "Fuensanta", es decir, de su tía Josefa de los Ríos que le llevaba ocho años de edad y era ya una señorita. Amor pueril, que se grabó indeleblemente como el de la provincia y como el aura devota de sus escuelas, en todo el quehacer lírico de López Velarde. Hacia 1902, lo trasladaron del Seminario de Zacatecas al de Santa María de Guadalupe, en Aguascalientes. Ahí permaneció hasta 1905, que es cuando inaugura su tarea literaria, precoz pero firmemente. Por esos días ingresa al Instituto de Ciencias de Aguascalientes. Había ya participado en la publicación de una revista literaria con Enrique Fernández Ledesma, Pedro

---

[1] Baltasar Dromundo, *Vida y pasión de Ramón López Velarde*, México, Guarania, 1954; José Luis Martínez, *Literatura mexicana siglo XX*, México, Porrúa, 1951; Manuel Maples Arce, *Antología de la poesía mexicana moderna*, Roma, Poligrafía Tiberiana, 1940; González Peña, *Historia de la literatura mexicana*, México, Porrúa, 1939; Pedro Henríquez Ureña, *Las corrientes literarias*, México, Fondo de Cultura, 1949; Xavier Villaurrutia, *La poesía de los jóvenes en México*, México, Antena, 1934.

de Alba y otros que llegarían a ser grandes nombres de la intelectualidad Mexicana. Leían todos a Othon, ídolo de los de su tiempo, y guardaban culto especialísimo por Lugones, Darío, Nervo y Rodó: la flor y nata del "arielismo". Era una caterva de jóvenes idealistas. Coincidían con las apetencias del Ateneo de la Juventud, cuyo ideólogo máximo, el bergsoniano Antonio Caso, sería quien introdujera, propagara, defendiera y remachara entre los universitarios de esa época, las ideas neoidealistas del autor de *Materia y memoria* en abierta rebelión contra el avasallante y dictatorial positivismo comtiano, esparcido por don Gabino Barreda y cosechado políticamente por el general Porfirio Díaz. El 31 de octubre de 1911, López Velarde optó el título de abogado en el Instituto de San Luis Potosí. Para entonces ya había empezado a andar, bajo el liderato de Madero, la Revolución contra don Porfirio. Encabezada por López Velarde marchaba también la insurrección contra la lírica. Naturalmente ambas se juntaron. La Revolución mexicana, conviene notarlo, es uno de los movimientos sociales que se produjeron sin énfasis. Asimismo, López Velarde había escrito desde 1908 su "Elogio de Fuensanta", su "Color de Cuentos" y otros poemas hondos definitorios y sin pompa. Desde luego, como visitante de la ciudad de México y frecuentador de los "ateneistas", López Velarde había conocido de cerca a Francisco I. Madero, símbolo de la nueva era y futura víctima de la voracidad satrápica de Victoriano Huerta. Madera, que era un lírico de la política y un provinciano de la vida pública, dispensó su amistad al joven abogado y poeta zacatecano. No es raro que López Velarde se adhiriese al "Plan Revolucionario de San Luis Potosí", en cuya redacción colaboró; que se pronunciara contra Huerta, cuando éste usurpó el poder asesinando a Madero, y que hasta accediese a lanzar su candidatura a una diputación suplente: todo ello alrededor del año 1913. En seguida López Velarde se establece en la capital. Es el período de su más intensa intimidad espiritual con la poesía de Othon, quien acababa de morir; con Lugones y con el ya clásico y fenecido representante del primer modernismo, Gutiérrez Nájera. En 1916, aparece el primer libro de

López Velarde, *La sangre devota*. De un salto conquista la fama, al menos la fama lugareña. *Zozobra* se edita en 1919, tres años después: será su confirmación. Pero culminará su tarea poética siendo ya profesor de Literatura en la Escuela Nacional Preparatoria, con el poema *La suave Patria,* publicado sólo dos meses antes de la intempestiva muerte de su autor. Acaeció ésta en Ciudad de México, el 19 de junio de 1921. López tenía treinta y tres años de edad.

Por aquel tiempo, López Velarde atravesaba una aguda crisis de sus gustos literarios y hasta de su concepto acerca de la vida. Al mismo tiempo que reiteraba su fervor por Gutiérrez Nájera, promotor admirable del verso tierno y simple, antes que por Darío, y se adhería al Lugones de *Lunario sentimental,* predeterminado por Laforgue, había trabado amistad con Francisco Villaespesa y Manuel Ugarte, dos modernistas de la vieja guardia, bohemios ambos, el uno con opulencia y el otro con hambre. Además, López Velarde era constante compañero del pintor Saturnino Herrán, quien constituye el hito inicial de la pintura mexicana contemporánea. Herrán había enraizado más al pintor con el suelo nativo, su paisaje y sus hombres. López Velarde llegaba entonces a un punto de su carrera literaria que auguraba desarrollo y grandeza poco comunes, o un cese repentino como el de Rimbaud: Se lo asestó la muerte [2].

Manuel Maples Arce, otro poeta y además crítico difícil, destaca la capacidad creadora de vocablos que caracteriza a López Velarde, su infernal poder de investir a las palabras viejas de sentido nuevo, gracias a su maravillosa y desconcertante agilidad para descubrir relaciones ocultas entre los objetos mismos, entre

---

[2] Obras de López Velarde: *La sangre devota,* México, Revista de Revista, 1916; *Zozobra,* México, Cultura, 1919; *La suave Patria,* México, 1921; *El minutero* (ensayos), 1923. Hay reediciones y antologías con diversos títulos, como: *Poesías escogidas,* México, 1935, prólogo de Villaurrutia, *El león y la Virgen,* prólogo de Villaurrutia, México, 1942; *El son del corazón* (poemas inéditos), México, 1932; *Obras completas,* México, Ed. Nueva España, 1945.

los seres por un lado y los objetos por el otro, entre los seres y su expresión, etc. Apunta Maples:

> Poeta erótico, platónico, en el sentido fiel, conoció poco el amor. Él mismo lo declara así. Una Venus universal presidió su vida y su obra, recubierta de telas provincianas. Fue el poeta del "íntimo decoro", subjetivo e individual siempre. Un clásico de nuestra parva historia, quizá nuestro más grande poeta [3].

Con esta apreciación coincide José Luis Martínez, uno de los más impasibles y jóvenes críticos de México. Escribe éste en una nota redactada para el 25 aniversario de la muerte de López Velarde, o sea, el 19 de junio de 1946:

> La devoción por la obra de López Velarde ha sido la única, en este cuarto de siglo, que ha unido el gusto popular con el gusto de las minorías literarias, y, dentro de éstas, a los escritores de las más variadas tendencias y condiciones. Si todo nos ha separado, si todo nos ha aislado, es confortante reconocer que estemos de acuerdo en la estimación de la personalidad tan sencilla y compleja de Ramón López Velarde [4].

Martínez agrega a este apunte valorativo, que luego explana, otro de tipo biográfico, humanamente interesante y estéticamente esclarecedor.

> Dos años más tarde, en 1921, López Velarde muere en la madrugada del 19 de junio, asfixiado por la neumonía y la pleuresía, en una modesta casa de apartamentos de la calle Álvaro Obregón. Lo habían matado dos de esas fuerzas malignas de las ciudades, que tanto temiera: el vaticinio de una gitana que le anun-

---
[3] M. Maples Arce, *Antología...*, cit., pág. 191.
[4] José Luis Martínez, *Literatura mexicana siglo XX*, cit., vol. I, pág. 154.

ció la muerte por asfixia y un paseo nocturno, después del teatro y la cena, en que pretendió oponerse al frío del valle, desarmado, porque quería seguir hablando de Montaigne.

Martínez subraya la relación entre la obra de López Velarde y la tendencia nacionalista fluyente del Ateneo de la Juventud. Sin embargo, comenta Martínez, López Velarde enriquece aquella dirección "con el doble filo del descubrimiento de la fecundidad poética de la provincia y su drama moral, y las audacias verbales e imaginativas con que realizará su obra". Señala en seguida la fecundidad del ejemplo de López Velarde, perennizado en sus imitadores y discípulos, tales como Manuel Martínez Valadez, Enrique Fernández Ledesma, Severo Amador y Alfredo Ortiz Vidales. Todo lo cual nos obliga a examinar, aunque sea muy someramente, los elementos constitutitivos de tan vasto prestigio a través de sus propios contextos.

Se destaca como una de las notas esenciales de la obra de López Velarde, el sostenido tono íntimo y el mantenido tema provinciano más que doméstico. Ello aparece desde el primer poema hasta el final penetrante y radioso de *La suave Patria*. Vale el distingo entre "provincial" y "doméstico". Lo último surge en la obra de López Velarde sólo como un incidente o consecuencia de lo primero. Aparece su poesía a ratos doméstica, porque fue siempre provinciana, y resulta así entrañable y humanísima. Leamos, si no, una de sus primeras composiciones. Pertenece al libro *La sangre devota*, y se titula "Pensar que pudimos". Allí están en germen ya los elementos primordiales de toda la poesía de López Velarde. Analicémoslo aunque sea de paso:

Y pensar que extraviamos
la senda milagrosa
en que se hubiera abierto
nuestra ilusión, como perenne rosa...
Y pensar que pudimos
enlazar nuestras manos

> y apurar en un beso
> la comunión de fértiles veranos.
> Y pensar que pudimos
> en una onda secreta,
> de embriaguez, deslizarnos
> valsando un vals sin fin, por el planeta.
> Y pensar que pudimos
> al rendir la jornada,
> desde la sosegada
> sombra de tu portal y en una suave
> conjunción de existencias,
> ver las cintilaciones del zodíaco
> sobre las sombras de nuestras conciencias.

Considerando el aspecto formal, el empleo del heptasílabo y el endecasílabo y la consonancia incompleta, pues sólo riman algunos versos, los pares, dejando libres los impares (salvo en la primera parte de la cuarta estrofa, donde riman 2.º con 3.º), la composición podría denunciar la influencia antirretórica de Fray Luis, de Garcilaso y de Bécquer. Pero es sólo una apariencia. Los heptasílabos no siguen la ordenación de la estrofa de Fray Luis, ni de las *Rimas* becquerianas. Adoptan su propio canon. Un poco sincopada, si se atiende al acecido que exhalan los heptasílabos consecutivos, para llegar al estiramiento postrero del endecasílabo, verdadero reposo al final de la estancia. Dentro de esta misma línea, advertimos que López Velarde no emplea ninguna palabra rebuscada, erudita o simplemente desusada, salvo "fértiles", "cintilaciones" y "zodíaco", si es que no son estas palabras corrientes. Utiliza para crear poesía figuras consuetudinarias como aquel "deslizarnos... valsando un vals por el planeta". El vals era el *dernier cri* coreográfico del México de entonces, conmovido aún por el *Sobre las olas* de Justino Rosas. "Valsar un vals" era ponerse al día, imitar a París, a Viena y a la Ciudad de México. La provincia miraba embobada la imagen de la capital y sus mesurados placeres. Lo revela así López Velarde. Por otra parte en ese poema, las rimas también son directas y sencillas:

"osa-osa", "eta-eta", "ada-ada", "encias-encias": No se puede dar algo menos rebuscado y, sin embargo, qué dosis de lirismo y qué calidad.

El secreto de la poesía de López Velarde residiría, entonces, hasta cierto punto, en el llamado "prosaísmo voluntario o deliberado", aunque, en este caso, podría hablarse más bien de "la poesía involuntaria e inevitable".

En aquel mismo primer libro, López Velarde muestra su vena irónica, por ejemplo, en el poema "A Sara". Bastaría recordar su comienzo:

> *A mi paso y al azar, te desprendiste*
> *como el fruto más profano*
> *que pudiera concederme la benévola*
> *actitud de este verano.*

Evidentemente ahí está presente la actitud poética de Francis Jammes, y la de Lugones, y la del Darío de *Poemas de otoño*. Se ha desmontado la vieja maquinaria empenachada de las "clepsidras", los "ababoles", los "papemores", los "bulbules": la verbal gama entera de la embriaguez modernista. La poesía se fabrica con elementos primarios. No proviene del vocablo: se transmite a él: esto es lo básico.

Más tarde, en *Zozobra*, el léxico y el modo han variado. No pretendo señalar influencias imposibles, mas, sí, evidentes coincidencias: *Los Heraldos Negros*, de César Vallejo, y *Zozobra*, pertenecen a la misma desgarbada familia poética, a pesar suyo porosa y sudorosa de poesía. Oigamos estas comparaciones de "Tus dientes", de López Velarde:

> *Tus dientes son el pulcro y nimio litoral*
> *por donde acompasadas navegan las sonrisas*
> *graduándose en los tumbos de un parco festival.*

En tal estrofa se descubren a primera vista varios elementos de jactancioso y deliberado prosaísmo poético: la comparación de la dentadura con "un nimio y pulcro litoral", el adjetivo "acompasadas" para las sonrisas, y, sobre todo, esas sonrisas "graduándose" en los tumbos (no olas) de un "parco festival", traen a la memoria la condición de seminarista y profesor típica de López Velarde. Más adelante, al aconsejar, a la dedicada, que cuida de su dentadura surge una comparación, es decir, profanatoria:

> Cúidalos con esmero, porque en ese cuidado
> hay una transcendencia igual a la de un Papa
> que retoca su Encíclica y pule su cayado.

Se acentúa el símil con Vallejo en la composición lopezvelardiana "El mendigo". Los primeros versos traen a la memoria los de "Avestruz", "El Pan nuestro" y "La de a Mil" del peruano. Dice López Velarde:

> Soy el mendigo cósmico y mi inopia es la suma
> de todos los voraces ayunos pordioseros...

Pero donde surge ya la angustia subvertida y subversiva porque utiliza el lenguaje menos patético para el más patético de los sentimientos, es en "El retorno maléfico": el poeta habla de su pueblo destrozado por la metralla de revolucionarios y federales. Es probable que nadie haya comunicado en tan pocas líneas y tan parcas palabras, la sensación de un desgarramiento que podría ser como el de un italiano frente a la Italia de 1946, o la de un alemán ante su Alemania de postguerra, o la de un español mirando a su provincia en 1940, o la de un mexicano a su villorrio, en 1916 ó 18: tal el caso de López Velarde. Se le debe oir sin comentarios, pues el lector inteligente irá zurciendo los suyos página a página, línea a línea:

> Mejor será no regresar al pueblo,
> al edén subvertido que se calla
> en la mutilación de la metralla.
> Hasta los frenos mancos,
> los dignatarios de cúpula oronda,

> han de rodar las quejas de la torre
> acribillada en los vientos de fronda.
> Y la fusilería grabó en la cal
> de todas las paredes
> de la aldea espectral,
> negros y aciagos mapas,
> porque en ellos leyese el hijo pródigo
> al volver a su umbral
> de un anochecer de maleficio,
> a la luz de petróleo de una mecha,
> su esperanza deshecha...

Continúa el poema en un *crescendo* de desesperanza, cuya clave y cuyo fruto amargo y creador será, al cabo, el magnífico y cuasi póstumo *Suave Patria*:

> Yo que sólo canté de la exquisita
> partitura del íntimo decoro,
> alzo hoy la voz a la mitad del foro,
> a la manera del tenor que emita
> la gutural modulación del bajo
> para cortar de la epopeya un gajo.

Esto es lo que se propone humildemente el poeta: "cortar de la epopeya un gajo". Invoca, por eso, no a la patria a secas, sino a la "suave patria", que lo modeló "todo entero",

> al golpe cadencioso de las hachas,
> entre gritos y risas de muchachas
> y pájaros de oficio carpintero.

No se necesita glosa (o se necesita pero dilatada, incompatible con este esbozo iniciático), oigamos:

> Patria: tu superficie es el maíz;
> tus minas, el Palacio del Rey de Oros,
> y tu cielo, las garzas en desliz

> *y el relámpago verde de los loros.*
> *El Niño Dios te escrituró un establo,*
> *y los veneros de petróleo el diablo.*
> *Sobre tu capital, cada hora vuela*
> *ojerosa y pintada, en carretela;*
> *y en tu provincia, del reloj en vela*
> *que rondan los palomos colipavos,*
> *las campanadas caen como centavos.*

Se podría llevar a cabo una exégesis profunda del poeta, de su poesía, de su Patria y de la poesía de su Patria, a través sólo de esta estancia de *Suave Patria*. Bastaría señalar los siguientes elementos: la compendiosa descripción del cielo del trópico en ese feliz y luminoso verso: el "relámpago verde de los loros", manchando, definiendo el cielo. Y aquel dístico denso de sugestiones que resume toda la historia de la Revolución, entonces sangrante todavía:

> *El Niño Dios te escrituró un establo,*
> *y los veneros de petróleo el diablo.*

El verbo "escriturar" delata la formación abogadil de López Velarde; la oposición del "establo" y el "petróleo", es decir, el Niño Dios de un lado y el diablo del otro, configuran la frustrada égloga campesina y la áspera lucha imperial por el subsuelo. No menos gráfica, punzante y densa es aquella alusión a la vida de la capital, a cada hora que "vuela ojerosa y pintada en carretela", delicada alusión a las prostitutas capitalinas, que asombraban con su exhibicionismo al provinciano desprevenido. La misma sensación fluye de la última línea, digna de Laforgue: "Las campanadas caen como centavos"; es decir, que son recibidas golosamente, con avaricia y esperanza, como parvo bien apenas alcanzado.

> *Suave Patria, te amo, no cual mito,*
> *sino por tu verdad de pan bendito,*
> *como a niña que asoma por la reja*

*con la blusa corrida hasta la oreja
y la falda bajada hasta el huesito.*

Ya tenemos la vera imagen de la castidad de López Velarde. Ama a sus chicas provincianas que nada muestran, ni arranques de seno ni tentación de pantorrillas, sino que apenas se asoman enfundadas de "íntimo decoro", de pudor pueblerino, como debe ser, según su trasfondo, es decir, mexicanísimo.

En algunos fragmentos, López Velarde se desliza a lo folklórico (menciona el "rompope", las "tinajas", los "tiros de la policía", la "chia", la "trigarante faja"), pero le contiene al punto la pureza de su lirismo, la dignidad de su estilo, su propio respeto de provinciano refrenado, íntimo, sentimental, un poco al desgaire.

Este tono, en verdad, parece pariente del de Othón y Tablada, de cierto González Martínez, de cierto Nájera y de cierto Lugones, pero, es, ante todo, intransferiblemente, de López Velarde. Su nombre y su obra (quebrada, repito a los treinta y tres años) abre un surco y señala un hito en la poesía no solamente de México, sino en la de América. Tal como a Antonio Machado, le sencillez inspira filosofías a López Velarde; la filosofía, una filosofía congénita y primordial, le obliga a la pausa, al silencio, a la simplicidad. Con ellas de Cirineo, alza en vilo el cuerpo y el alma de su Patria, replegada en la provincia, y nos la entrega envuelta en la más dulce y fina poesía colectiva que tal vez haya parido América.

XL

GABRIELA MISTRAL

(Vicuña, 6 abril 1889 — Hamptead, New York, 10 enero 1957)

De lo mucho escrito acerca de Gabriela, habría que extraer lo estrictamente literario para iluminar su poesía. Si en Delmira Agustini, el verso mana de la vida, en Gabriela parece realizarse un proceso contrario: rayó a tanto la majestad de su estrofa, la apretó tal angustia, que se le hizo imposible la alegría, y hasta la prosa vistió al cárdeno sayal con que, a pie descalzo, ascendía a su cotidiano Calvario el corazón más conturbado y el ceño menos blando de los escritores del Continente.

Lucila de María Godoy Alcayaga nació de un modesto y errabundo profesor primario, llamado Gerónimo, y de su esposa, "Peta Alcayaga"[1]. En el ambiente pueblerino (lindo valle fru-

---

[1] Lenka Franulic, *Cien autores contemporáneos*, 3.ª ed., Santiago, Ercilla, 1952, págs. 665-674; Alone, *Gabriela Mistral*, Santiago, Nascimento, 1926; Julio Saavedra Molina, *Vida y obra de G. Mistral*, en *Revista hispánica moderna*, Nueva York, 1946; Augusto Iglesias, *G. M. y el modernismo*, Santiago, Prensas de la U., 1950; Margot Arce de Vásquez, *G. M.: Persona y poesía*, Puerto Rico, Asomante, 1958; Alberto Reid, *La sangre llegó del mar*, Santiago, Ed. del Pacífico, 1956; Julio Saavedra Molina, *Gabriela Mistral: su vida y su obra*, Santiago, Universidad de Chile, 1946; R. Silva Castro, *Panorama en la literatura chilena*, cit., 1961; Mario Ferrero, *Premios nacionales de literatura*, Santiago, Zigzag, 1962, págs. 228-290.

tal al borde del desierto) aprendió a admirar lo grandioso y lo retórico: a la Biblia, a Federico Mistral, a Amado Nervo, a Rubén Darío, a D'Annunzio, a Paul Fort y a Vargas Vila. De la primera adquirió la majestuosa sencillez; del segundo, el pseudónimo (aunque hay otra versión) y la casta simplicidad; del tercero, la familiaridad con la muerte; del cuarto la música verbal; del sexto, la primera parte de su nombre literario, la afición al símbolo y al estilo suntuoso; de Fort, la elocuencia; de Vargas Vila, cierta ira sagrada y el gusto por las metáforas tajantes. Conviene recordar la presencia de Rabindranath Tagore, Kempis y el Dante en este círculo de genios tutelares. Uno de los rasgos más típicos de Gabriela, su lealtad, la hará siempre montar guardia en torno de sus maestros juveniles, sin excluir a Vargas Vila, el negado por todos a causa de haber sido por todos exprimido [2].

Lucila se enamoró, estando en el poblacho de La Cantera, de un empleado de ferrocarril, Romelio Ureta, quien se suicidó en Coquimbo, el 25 de marzo de 1909, al no poder cumplir el compromiso financiero contraído en respaldo de un amigo insolvente. El episodio no ha sido totalmente aclarado, ni hace falta.

Entre 1911 y 1919, Gabriela desempeñó diversos cargos docentes en provincias. Fue maestra de Higiene y Biología en Traiguén. Durante este ejercicio experimentó dramáticas presiones en que la dureza del medio y los prejuicios la hicieron su víctima. Ya había publicado muchos artículos, pero fue el 22 de diciembre de 1914, al ganar con "Los sonetos de la muerte" el Primer Premio de los Juegos Florales convocados por la Sociedad de Escritores y Artistas, cuando se dio a conocer el nombre literario de Lucila Godoy. No se presentó a la ceremonia de entrega del premio y lectura de sus versos, mejor dicho concurrió como desconocida espectadora, desde la galería. Aunque un poco de lejos, a partir de entonces, puede considerársela en el brillan-

---

[2] Cfr. M. Ferrero, *ob. cit.*, pág. 235, una hermosa referencia de Gabriela a Vargas Vila en carta de 1907 a Norberto Pinilla.

te grupo de "Los diez", renovador de las letras chilenas. Durante dos años ejerció su magisterio en Punta Arenas, la ciudad más austral del mundo, la más solitaria y azotada por los vientos, en plena "desolación". Estaba marcado su destino. Desde 1922, en que la llamaron a México —en Valparaíso la despidió Pedro Prado— hasta su muerte, la vida de Gabriela prácticamente se desenvuelve fuera de su patria. México, Estados Unidos, Italia, España, Portugal, Brasil, Francia, Cuba, Puerto Rico, Argentina acogieron sus más largas residencias, en ellas consume casi treinta años. En 1945, la Academia Sueca le otorga el Premio Nobel de Literatura; en 1951, —¡Ay, después!— el Jurado Nacional de Chile, el premio Nacional de lo mismo. Su primer libro, *Desolación*, aparece en Nueva York, en 1922; lo seguirán de lejos, *Tala, Ternura, Nubes blancas, Canciones para niños, Lagar* y los numerosos, esporádicos y originales *Recados*[3]. Una cosecha apasionante.

En pocos poetas como en Gabriela, asumen importancia tan esencial las palabras; importancia no sólo por lo que expresan directamente, sino por lo que, en conjunto, relacionan, evocan y sugieren. Siendo hija del modernismo, devota de Rubén y Nervo, Gabriela se les emancipa lexicalmente (no en ritmo ni a veces intención), y les contraría en color y matiz. "Muerte", "carne",

---

[3] Conocemos las siguientes ediciones de Gabriela Mistral: *Desolación*, Nueva York, Instituto de las Españas, 1922, 2.ª ed., Santiago, Nascimento, 1923; 3.ª ibidem, 1926; 4.ª Santiago, Editorial del Pacífico (Obras Selectas, II), 1954; *Nubes blancas*, Barcelona, Bauzá, 1930; *Los mejores poemas de los mejores poetas, Gabriela Mistral*, Barcelona, Cervantes, 1936 (selección); *Ternura*, Madrid, Calleja, 1924, 2.ª ed., Buenos Aires, Espasa-Calpe Argentina, 1945; *Tala*, Buenos Aires, Sur, 1938; *Pequeña antología de Gabriela Mistral*, Santiago, Escuela Nacional de Artes Gráficas, 1950; *Antología*, Santiago, Zig-Zag, 1941 (varias ediciones); *Poèmes*, trad. por Roger Caillois, Paris, Gallimard, 1946; *Lagar*, Santiago, Edit. del Pacífico, 1955, 180 (2) págs.; *Recados*, Santiago, Ed. del Pacífico, 1957 (Obras Selectas, III), volumen aparecido cuando habíamos escrito el boceto del contexto, no varía nuestro juicio sobre Gabriela, sino en cuanto a que ha subrayado su simplicidad, incurre en los mismos modos formales y mantiene su inspiración cristiana saturada de amarga ternura.

"amor", "hijo", "niño", "Jesús", "Cristo", "sangre", "tierra", "corazón", "hombres", "rojo", "blanco", "ceniza": he aquí un conjunto de vocablos frecuentísimos en la primera parte de la obra de Gabriela, lo cual, si evoca a algún autor americano, sería a José Martí (faltarían "hermano", "padre", "rosa", "raso", "reseda", "lirio", "nácar", "seda"). En todo caso es un léxico más propio de D'Annunzio que de Federico Mistral, de Vargas Vila que de Amado Nervo: signo elocuente. Mientras Delmira se inunda de "azul" y "blanco", y a veces de "gris", los tonos de Gabriela son violentos: "rojo", "blanco", "negro", "cárdeno". Su pupila ignora los alquitaramientos plásticos. Su oído rara vez dejará constancia de sus predilecciones musicales: es más bien una memoriosa y una táctil: una sentidora, llena de "raíces chilenas", según lo apunta Ferrero.

Este vocabulario —insistimos— dista de ser muy escogido: en cambio la sintaxis es absolutamente propia. No por autodidacta, como se ha dicho: al revés: por sabia y cernidora, no le satisfacen los giros consagrados; requiere algo diferente que, aun cuando utilice términos usuales, los engasta en tal forma que parecen gemas distintas.

Debería siempre descontarse de la obra de Gabriela aquello de alusivo o de concesión a lo inmediato, que el poeta se permite como licencia o debilidad. A menudo eso toma demasiado espacio y hasta importancia. Habremos de limitarnos a lo claramente creador o poético: por felicidad es lo que más abunda. También sería preciso atenuar la vehemencia con que la Muerte es llamada deleitosamente a capítulo como inesquivable amiga. Interesa no olvidar el cristianismo fundamental de Gabriela, su poderosa angustia, su personal sintaxis, su ineludible necesidad de amar ("madre", "hijo", "amigo") sin frivolidades, con "sangre" y "tierra".

La visión de la vida y de Cristo es en Gabriela del todo hispana, no obstante ser ella tan irrevocablemente americana y reclamarse tan india.

Por ejemplo:

> *Cristo, el de las carnes en gajos abiertas;*
> *Cristo, el de las venas vaciadas en ríos...;*
> ....
> *¡Garfios, hierros, zarpas que sus carnes hienden*
> *tal como se hienden quemadas gavillas!*
>
> (Al oído del Cristo)

De ahí emerge no un *Cristo de Velázquez* a lo Unamuno, sino un Cristo plenamente español como cualquier Cristo gitano, vasco o de Castilla. La afición a la letanía, al "canto llano" verseado, caracteriza a Gabriela ("Viernes Santo"); lo veremos reaparecer en "In memoriam", donde, refiriéndose al fallecimiento de Amado Nervo, deja escapar esta queja:

> *No te vi nunca. No te veré. Mi Dios lo ha hecho.*
> *¿Quién te juntó las manos? ¿quién dio, rota la voz,*
> *la oración de los muertos al borde de tu lecho?*
> *¿Quién te alcanzó en los ojos el estupor de Dios?*

El último verso abre una perspectiva inesperada. Muchos otros aspectos del poeta han sido glosados: su cristianismo, su amor a los niños, el significado potencial de "la mujer estéril" ("la mujer que no mece un niño en el regazo // todo su corazón congoja inmensa baña"); el desgarramiento de "Los sonetos de la muerte"; la difícil predilección por el eneasílabo, no siempre fiel, pues el oído falla ("Futuro", "A la Virgen de la Colina", "Himno al árbol", etc., y mucho de *Tala* y *Lagar*). Pero ese "estupor de Dios" encierra algo más que la raíz humana de toda Gabriela: su ideario, su léxico. Oigámosla:

> *Mi madre ya tendrá diez palmos*
> *de ceniza sobre la sien...*
>
> (Futuro)

> *Es más terco, te lo aseguro,*
> *que tu peña, mi corazón.*
>
> (A la Virgen de la Colina)

> *Creo en mi corazón siempre vestido,*
> *pero nunca vaciado.*
>
> *Creo en mi corazón en que el gusano*
> *no ha de morder, pues mellará a la muerte.*
>
> *Y en esta tarde lenta como una hebra de llanto...*
>
> (El Dios triste)

> *Bajo un árbol, yo tan sólo*
> *lavaba mis pies de manchas,*
> *con mi sombra como ruta*
> *y con el polvo como saya.*
>
> (La fugitiva)

> *Tirita el viento como un niño;*
> *es parecido a mi corazón.*
>
> (Plegaria por el niño)

> *Por hurgar en las sepulturas*
> *no veré ni el cielo ni el trigal.*
>
> (Futuro)

Terrible simplicidad profética; voluntario desgarbo; deliberado prosaísmo, del que brota una belleza tremenda y rústica, de santa más que de artista:

> *Tengo vergüenza de mi boca triste,*
> *de mi voz rota y mis rodillas rudas;*
> *ahora que me miraste y que viniste,*
> *me encontré pobre y me palpé desnuda...*
>
> ....
>
> *Llevaba un canto ligero*
> *en la boca descuidada.*
>
> (El encuentro)

Es en la abolición de la retórica donde se acendra más la poesía de Gabriela: sabia sencillez, fruto de larga tradición humana y clásica. Así, "Los sonetos de la muerte", a que se ha de tornar, por su significado y su audacia primeriza, puntean la misma cuerda simple y tierna:

> Del nicho helado en que los hombres te pusieron
> te bajaré a la tierra humilde y soleada.
> Que he de dormirme en ella los hombres no supieron,
> y que hemos de soñar sobre la misma almohada.

Hay una macabra visión en la primera parte de la obra ("porque a ese hondor recóndito la mano de ninguna // bajará a disputarme tu puñado de huesos"), lo cual dista absolutamente del esoterismo de Baudelaire y sus estridencias: aquí se trata de una primitiva visión del cosmos, tosca y directa. Tal un aguafuerte de Durero, o una ilustración de Holbein, el de las viejas "Carretas de la Muerte". Algo descomunal, frenético, que de cuando en cuando se deslíe en melodías como el "Nocturno" (el inevitable "Nocturno" de todo escritor americano de 1900).

> Ha venido el cansancio infinito
> a clavarse en mis ojos, al fin;
> el cansancio del día que muere
> y el del alba que debe venir;
> el cansancio del cielo de estaño
> y el cansancio del cielo de añil.
>
> (Nocturno)

> Soy cual un surtidor abandonado
> que muerto sigue oyendo su rumor;
> en sus labios la piedra se ha quedado
> tal como en mis entrañas el fragor.
>
> (El surtidor)

No es necesario divagar mucho acerca del contenido conceptual de la poesía de Gabriela. Bastará oírla a ella misma en su "Decálogo del artista" (más apetencia que realidad), pero, de todos modos, un indicio irreemplazable.

I. Amarás la belleza que es la sombra de Dios sobre el Universo.

II. No hay arte ateo. Aunque no ames al Creador, lo afirmarás a su semejanza.

III. No darás la Belleza como cebo para los sentidos, sino como el natural alimento del alma.

IV. No te será pretexto para la lujuria ni para la vanidad, sino ejercicio divino.

V. No la buscarás en las ferias, ni llevarás tu obra a ellas, porque la Belleza es virgen.

VI. Subirá de tu corazón a tu canto y te habrá purificado a ti el primero.

VII. Tu belleza se llamará también misericordia, y consolará el corazón de los hombres.

VIII. Darás tu obra como se da un hijo: restando sangre de tu corazón.

IX. No te será la belleza opio adormecedor, sino vino generoso que te encienda para la acción, pues, si dejas de ser hombre o mujer, dejarás de ser artista.

X. De toda creación saldrás con vergüenza, porque fue inferior a tu sueño, e inferior a ese sueño maravilloso de Dios, que es la Naturaleza.

Gabriela escribió este "Decálogo" a los treinta años (1919). De su texto fluyen más bien lecciones éticas que estéticas. Para servir a las primeras, las segundas huirán de lo que pueda ser sospechoso de excesivo deleite formal. De allí los vuelos y caídas de Gabriela; de allí, su notoria falta de ironía; de allí la estremecida contención que marca toda su obra. Además, agreguemos que congénitamente, por despreocupación ante la forma y por encarnizado amor a lo sustantivo, se cuida poco de cumplir ciertos requisitos que a los demás preocupan; por ejemplo, la uniformidad en el número de sílabas, o, por el contrario, lanzarse a plenitud al verso libre. De allí también sus rotundas afirmaciones y negaciones, sin detenerse en los matices, salvo cuando se trata de ternura, y en tal caso se le facilita la tarea por ser sus feligreses los niños. Poetisa monumental (nada estatuaria); de hierro, granito y espuma —nunca de arcilla, de nieve o de nácar—, mineral y vegetal en sus esencias, terrígena de veras, lo humano parece como su envoltura, porque ella fue inmóvil. Las irregularidades de su verso reconocen su origen en aquella actitud del "Decálogo": no jugar con el arte, confundirse con Dios y con "ese sueño maravilloso de Dios, que es la Naturaleza". Apelamos a casos gráficos:

Sol de los Incas, sol de los Mayas (10 sílabas)
maduro sol americano, (9 ")
sol en que mayas y quichés (9 ")
reconocieron y adoraron (9 ")
y del que viejos aimarás... (9 ")
etc.

(Sol del trópico)

¡Cordillera de los Andes, (8 sílabas)
madre yacente y madre que anda, (9 ")
que de niños nos enloquece (9 ")
y hace morir cuando nos falta... (10 ")

(Cordillera)

Mi amigo me escribe: "Nos nació una niña" (12 sílabas)
La carta esponjada me llega (9 ")
de aquel vagido. Y yo la abro y pongo (10 ")
el vagido caliente en mi cara. (11 ")
Les nació una niña con los ojos suyos (12 ")
que son tan bellos cuando tienen dicha. (11 ")

(Recado de nacimiento)

Y me llevas un poco de tierra (10 sílabas)
porque recuerda mi posada. (9 ")

(Encargo a Blanca)

El caso se repetirá a menudo. Insisto: no se trata de una opción por el verso libre, ni el empleo del método, dividido en pies. Por el número de sílabas (10 con 9, 8 con 9, 12 con 11, 10 con 12), se trata de simples descuidos o, ni siquiera de eso: indiferencia de mal oído.

Rubén, cierto, procede así. Mas, observamos: en Rubén se trasluce la coquetería del maestro ganoso de parecer ajeno a su prodigiosa melodía. Gabriela suele también mofarse de las reglas: he aquí cómo sale del paso en un romance con rima en *a-a*:

> *Todavía yo tengo el valle,*
> *tengo mi sed y su mirada.*
> *Será esto la eternidad*
> *que aún estamos como estábamos* (a).
> *Recuerdo gestos de criaturas*
> *y eran gestos de darme el agua.*
>
> *(Beber)*

La nota (a) de la propia autora explica, al pie de la página:

> Falta la rima final para algunos oídos. *En el mío, desatento y basto,* la palabra esdrújula no da rima precisa ni vaga. El salto del esdrújulo deja en el aire su cabriola como una trampa que engaña al amador del sonsonete. Este amador, persona colectiva que *fue* millón, disminuye a ojos vistas, y bien se puede servirlo a medias y también dejar de servirlo.

Las bastardillas son mías, reclamo. Y reclamo también indicar que Gabriela no fue tan ignorante como se dice acerca de las reglas de versificación, puesto que el esdrújulo en efecto pierde una sílaba, la siguiente al acento final, o sea, la antepenúltima, para la cuenta de sílabas, aunque nunca deja de influir, como sonido (como rima) modificando la limpieza de la consonancia perfecta o imperfecta entre sílaba grave y grave, o entre aguda y aguda.

A partir de *Tala,* a que pertenecen las anteriores transcripciones, Gabriela se muestra más sobria, menos patética y mucho más cerca de la naturaleza americana. Curiosa paisajista que pinta sin paleta, a puro sentimiento. Su evolución pudiera compararse a la del autor de *Lasca* por su huir de la sonoridad y refugiarse en el acendramiento; pero, a quien cada día se aproxima más es al lapidario autor de *Versos sencillos,* con el cual coincide en la inclinación ética, aunque no en la genial musicalidad. ¿No parecen los siguientes trozos como arrancados de Martí? :

> *Amo las cosas que nunca tuve*
> *con las otras que ya no tengo.*
> *Pienso en el umbral donde dejé*
> *pasos alegres que ya no llevo,*
> *y en el umbral veo una llaga*
> *llena de musgo y de silencio.*
> *Un dorso, un dorso grave y dulce*
> *remata el sueño que yo sueño.*
> *Es el final de mi camino*
> *y mi descanso cuando llego.*
> *¿Es tronco muerto o es mi padre*
> *el vago dorso ceniciento?*
> *Yo no pregunto, no lo turbo,*
> *me tiendo junto, callo y duermo.*

(*Desolación*)

> *Si me ponen al costado*
> *la ciega de nacimiento,*
> *le diré bajo, bajito*
> *con la voz llena de polvo:*
> *—"Hermana, toma mis ojos"—*
> *—¿Ojos? ¿para qué preciso*
> *arriba y llena de lumbres?*

("El reparto", en *Lagar*)

¿Verdad que es la voz, el tono de Martí? Y ¿entonces, los *Recados*? Los *Recados* de Gabriela están escritos en una prosa vital, conversada, de extraña retórica, retórica de platicante, donde las metáforas se deslizan a pie enjuto para no herir al lector periodístico a quien tamañas audacias de concepto y vocabulario asustarían, si no se les filtrasen como desprevenidamente, enriqueciéndole a pesar suyo. Prosa de tal jaez, ancha y asordinada, suculenta y necesaria, la hay sólo en Martí, en Unamuno (y aquí, en secreto, a ratos, cuando explosiona, en Hugo y en su hijo perdido, Vargas Vila). Prosa de deber, no de joyería; de implícito adoctrinamiento, de información en haz, para ser imaginada y repetida: inaprehensible en recetarios porque arranca de raíz poética; poesía o creación ella misma. El vocabulario de que se vale —igual en verso— proviene del uso diario: "tordos", "percal", "azafrán", "higuerillas", "hebras", "grumos", "gajos", "huemul", "mayoral", "maíz", "fuente", "crinada", "rompedores", "tumbadores", "pastoreaba", "espejes", "desollaba", etc. De esta prosa ha dicho con razón Julio Saavedra Molina que "su castellano (el de Gabriela) no es el de Chile, ni el de Castilla, ni el de América. Es un sedimento amontonado sobre el lecho primitivo por aguas de todas las vertientes: personas, libros, gustos, teorías. Es *su* castellano"[4].

Con todo Gabriela, colmada de gloria universal y dueña absoluta de su predio lingüístico, no le pierde la mirada a la Muerte. No deja de verla rondando sus vigilias y sueños. Ayer, por amor; hoy, por ausencia: así la abandonaron, hiriéndola, sus amores: el del juvenil galán de Coquimbo; el del sobrino dilecto, en Petrópolis; el de los amigos fieles, doquiera —y Stefan Zweig uno de ellos—. Doquier ausencia, abandono, desvío, formas de la Muerte. La angustia de Gabriela se aconcava: no ya sólo para acoger la de un niño cualquiera, ni para la de los niños vascos en el día del desastre, sino también para los abandonados de todas las edades y rumbos.

---

[4] J. Saavedra Molina, *Gabriela Mistral*, etc., *ob. cit.*, pág. XXXI.

Recordemos su poema "La extranjera", tan hondamente sentido por ella, víctima de extrañamiento:

> *Vivirá entre nosotros ochenta años,*
> *pero siempre será como si llega,*
> *hablando lengua que jadea y gime*
> *y que la entienden sólo bestezuelas.*
> *¡Y va a morirse en medio de nosotros*
> *en una noche en la que más padezca,*
> *con sólo su destino por almohada,*
> *de una muerte callada y extranjera!*

O en "Caída de Europa":

> *Ven, hermano, en esta noche*
> *a rezar con tu hermana que no tiene*
> *hijo, ni madre ni casta presente.*

Gabriela Mistral no ha podido, no podía, no podría tener discípulos. Tampoco los buscó ni admitió su angustia. No cabe ella en tendencias ni clasificaciones mucho menos en prosa que en verso. Como todo vale, simplemente, ella fue un ser y una voz inconfundibles: no siguió ni comenzó nada: *es*.

XLI

ALFONSO REYES

(Monterrey, 17 mayo 1889 — México D. F., 27 diciembre 1959)

Es difícil juzgar a Alfonso Reyes tan al poco tiempo de su muerte, aún dentro de la órbita de su luminosa influencia. Para la mayoría de los contemporáneos, su personalidad es intangible y su obra insuperable. Esta superstición, en cierto modo fundada, siega el camino de la crítica; impide el paso de la luz inteligible. El escritor *de race* que había en Reyes —quizá la personalidad de escritor mejor dotada que ha producido América Latina en sus últimos treinta años—, se presenta en desconcertante ubicuidad: ejemplar, o cuando menos seductor, en el verso, ejemplar sin duda con el ensayo, el relato, el drama, la crónica. En realidad, tenía tan profunda vocación y tan disciplinado y despierto buen gusto, que la inteligencia reemplazaba a menudo en él a la sensibilidad, y la amenidad a la hondura. No se puede negar que una de las características insustituibles de todo escritor auténtico consiste en lograr que su público se mantenga en permanente jaque. No importa que los ardides sean intelectuales, emotivos, eruditos o fantásticos: lo definitivo es conservar el interés y no permitir que el lector se libere del sortilegio de su "taumaturgo-de-la-pluma-en-riste". En tal sentido, Alfonso Reyes cumplió a cabalidad uno de los requisitos básicos del artista literario. Corresponde, sin embargo, averiguar hasta qué punto realizó sus apetencias y cómo las puso en práctica. Los creadores no pueden eludir sus propios compromisos. El de Alfonso Reyes ¿fue amenizar o descubrir?, ¿inventar o corroborar?, ¿desvelar o entretener?, ¿demostrar o deleitar? El estricto planteamiento de estas preguntas conduce inevitablemente a un análisis acaso indeseable —y en este espacio inalcanzable— de los propósitos y realizaciones patentes en la vida y la obra del insigne humanista del Anáhuac.

Alfonso Reyes nació en Monterrey, activa ciudad del norte de México, el 17 de mayo de 1889. Su padre, Bernardo Reyes, un general ilustrado o ilustre, servía al longevo gobierno del General Porfirio Díaz. Alfonso tuvo, por padre y madre, sangre mexicana. Pequeñito, inquieto, voraz y estudioso, destacó desde la infancia, por su extraordinaria inteligencia. Antes de los veinte años, formaba parte del Ateno de la Juventud, cuyos miembros eran todos mayores que él. Recordemos que entre los ateneístas figuraban José Vasconcelos, Pedro Henríquez-Ureña, Jesús T. Acevedo, Antonio Caso, Martín Luis Guzmán, Jesús Ureta y otros. Reyes nos refiere en *Pasado inmediato* la dinámica de su grupo. México estaba fatigado de la iconoclastia humanística y de la idolatría cientificoide de los positivistas. Al amparo de aquello había fructificado como cosa natural, la dictadura.

Profirio Díaz quiso que Bernardo Reyes fuese su sucesor. La Revolución quebró aquel buen deseo. El caso de Alfonso, por eso, sin escatimar el inevitable y justo elogio que merece, debiera recibir muy sereno examen, del cual acaso resulten atenuados algunos de los más reconocidos méritos del gran humanista, a cambio de recibir mayor encomio otras facetas de su obra, tal vez más significativas y permanentes. Tengo al respecto y a la vista algunos documentos desconocidos, según entiendo, o poco conocidos si lo son en alguna forma. Me los confió Alfonso Reyes con una carta suya "confidencial", fechada el 25 de agosto de 1958, a propósito del extracto de una conferencia mía sobre su persona, dictada en Bogotá bajo el patrocinio de *El tiempo,* a mediados de aquel mismo agosto. Trata justamente de sus inicios literarios y de su relación política con Porfirio Díaz y el desagradable y cruel Victoriano Huerta, asesino del presidente Madero. Alfonso Reyes me adjuntó entonces copia de dos cartas suyas dirigidas al gran escritor cubano Jorge Mañach († 1962), con fechas 30 de agosto y 20 de setiembre de 1954, a causa de una apreciación formulada por éste en *El Diario de la Marina* de La Habana, sobre una supuesta o real desconexión de Reyes con su Patria y también con América Latina. He aquí la confidencia de Reyes:

> Soy hijo del General Bernardo Reyes, que guerreó desde los días de la lucha liberal contra la Intervención Francesa, y luego durante la era Porfiriana, Gobernador del Estado de Nuevo León, en cuya capital, Monterrey, vine yo a nacer. Poco a poco, mi padre se convirtió en ídolo del país y como el sucesor deseado de Porfirio Díaz que inaugurara una era de mayor atención para todas las clases e intereses sociales.
>
> El General Díaz, que comenzó dándole su confianza, le permitió después desarrollar una gran labor en la Secretaría de Guerra, y aún hizo como que le ofreció a la Opinión por candidato probable (por supuesto, sin soltar prenda); después se alejó de él y le retiró prácticamente su apoyo. Achaque de autócratas que temen, como Cronos, a las que creen sus criaturas. La opinión pidió una revolución a mi padre, y él se negó por la lealtad a su antiguo Jefe. El "reyismo", como se llamó al movimiento que se produjo en torno a él, vino a ser precursor de la Revolución Mexicana. Como todos los precursores, mi padre se quedó atrás. Cuando Madero empuñó la Revolución que él no quiso hacer, mi padre había perdido ya toda su popularidad de la noche a la mañana. Y, como no todos confiaban en las actitudes gubernamentales de Madero, mi padre creyó que él podía ser aún el verdadero encauzador del país. En funesto día se dejó arrastrar por algunos candorosos par-

tidarios, por algunos calculadores aviesos y algunos despechados del "porfirismo" que buscaron su arrimo; renunció a su grado militar, y quiso hacer un levantamiento en que nadie le siguió. Se entregó él mismo, deseoso de morir. En vez de eso, lo encarcelaron en la prisión militar (con toda clase de miramientos) y le abrieron un largo proceso. Al fin, como consecuencia de la asonada militar del 9 de febrero de 1913, ese mismo día cayó frente al Palacio Nacional, atravesado por la metralla.

Interrumpo el patético y hasta balbuceante relato de Alfonso sobre este doloroso episodio, para aclarar que la asonada militar del 9 de febrero de 1913 fue el comienzo del derrocamiento del Presidente Madero, provocado por su propio Ministro de Guerra, Victoriano Huerta. De ahí arranca la idea de asesinar a Madero y a su Vice-Presidente, el mediano poeta, J. M. Pino Suárez, también por orden de dicho Huerta, quien urdió la burda y jamás creída patraña de que las ilustres víctimas fueron abatidas a tiros en circunstancias en que pretendían fugarse...

Continuemos con el relato-carta de Alfonso Reyes:

Se impuso la dictadura militar de Victoriano Huerta y yo tuve que "dejarme nombrar" Segundo Secretario de la entonces Legación de México en París; porque mi actitud de protesta ante el asesinato de Madero y de Pino Suárez incomodaba mucho al régimen, en que mi pobre hermano mayor, Rodolfo, muerto hace poco en Madrid y desterrado voluntario para toda su vida, se había dejado nombrar Secretario de Justicia. Así empezó mi carrera diplomática.

A la caída de Huerta (que yo ya descontaba), sobrevino la Guerra n.º 1, y tuve que ir a España para ganarme la vida con la pluma durante cinco años, donde me hermané con la gente de letras destinada a crear más tarde la República de los Profesores, la de la primera etapa. Al cabo de esos cinco años, los gobernantes revolucionarios de México, se acordaron de mí y me reintegraron al Servicio Exterior. Todo el mundo conocía en México mis ideas políticas, y todos sabían que yo callaba y había quedado en difícil situación por no poder combatir contra mis más sagrados recuerdos ni contra mis propios familiares. Cinco años fui en España Encargado de Negocios *interino*. Nadie quería en el fondo que lo nombraran Ministro en Madrid. Me tocaron las luchas diplomáticas más arduas, por los días en que los campesinos mexicanos daban muerte a los "encomenderos" (los tiranos inmediatos, muchos de ellos españoles establecidos en haciendas, reales mineros, etc., dueños de la "tienda", a quien todos debían dinero). La tarea era dura; no salí mal de mis afanes. De ahí ascendí a Ministro, y después a Embajador en otros países.

Esta página amarga puede resumirse cronológicamente así: Alfonso Reyes por las razones enunciadas entró al Servicio Diplomático, en 1913; fue destituido o "renunciado" en 1915; de 1915 a 1920, vive como escritor en España; entre 1920 y 1924, actúa en Madrid como Segundo Secretario (desde el 10-VI-20), como Primer Secretario desde el 21-I-1921; y luego como Encargado de Negocios *interino*, a fines de 1924 se le promovió a Ministro de México en la misma ciudad. Fue Ministro en Francia desde el 18 de diciembre de 1924 hasta comienzos de 1927; Ministro en Argentina desde el 1.º de abril de 1927; Embajador en el mismo país el 11 de julio del mismo año; Embajador en Brasil, el 16 de marzo de 1930; otra vez Embajador en Argentina, de julio de 1936 a diciembre de 1937; Enviado Especial en Brasil, en 1938. Regresó a México en febrero de 1939. Prácticamente desde entonces no se aparta de su patria, salvo viajes ocasionales. En uno de esos viajes nos encontramos en París, ambos delegados a la Unesco (noviembre-diciembre de 1946); habíamos coincidido en Buenos Aires, diez años antes, en setiembre de 1936 y en julio de 1937. Nos veríamos en México largamente (1944, 1951, 1956). En aquel tiempo Alfonso Reyes fundó La Casa de España en México (1939) de la que nació el Colegio de México (octubre de 1940). Recibió el premio Nacional de Literatura en 1945 [1].

[1] Obras de Alfonso Reyes: aparte la colección de *Obras completas* que, a la fecha, llega al XIV volumen, y que edita el Fondo de Cultura Económica de México, recogemos las siguientes primeras ediciones: PROSA: *"Los poemas rústicos" de Manuel José Othon*, México, Conferencias del Centenario, 1910; *Cuestiones estéticas*, París, Ollendorf, 1911; *El paisaje en la poesía mexicana del siglo XIX*, México, 1911; *El suicida*, Madrid, Cervantes, 1917: *Visión de Anáhuac*, San José de Costa Rica, Convivio, 1917; *Cartones de Madrid*, México, 1917; *El plan oblicuo*, Madrid, Calleja, 1920; *Simpatías y diferencias*, 5 vols., Madrid, 1921-1926; *El cazador*, Madrid, Bca. Nueva, 1921; *Calendario*, Madrid, Cuad. literarios, 1924; *Cuestiones gongorinas*, Madrid, Espasa-Calpe, 1927; *Discurso por Virgilio*, México, Contemporáneos, 1931; *A la vuelta de correo*, Río de Janeiro, Monterrey, 1932; *Atenea Política*, Río de Janeiro, Monterrey, 1932; *Tren de ondas*, Río de Janeiro, 1932; *Testimonio de Juan Peña*, Río de Janeiro, 1933; *Tránsito de Amado Nervo*, Santiago, Ercilla, 1937; *Idea política de Goethe*, México, ICI, 1937; *Las vísperas de España*, Buenos Aires, Sur, 1937; *Aquellos días*, Santiago, Ercilla, 1938; *Mallarmé entre nosotros*, Buenos Aires, Destiempo, 1938; *Capítulos de literatura española*, 1.ª serie, México, Casa de España, 1939; 2.ª serie, México, Fondo de Cultura, 1945; *La crítica en la edad ateniense*, México, Colegio de México, 1941; *Pasado inmediato*, México, 1941; *Los siete sobre Deva*, México, 1942; *La antigua retórica*, México, 1942; *Última Tule*, México, 1942; *La experiencia literaria*, Buenos Aires, Losada, 1942; *El deslinde, prolegómenos a la teoría literaria*, México, Fondo de Cultura, 1944; *Dos o tres mundos*, México, Leyenda, 1944; *Norte y Sur*, México, Leyenda, 1945; *Los trabajos y los días*, México, 1946; *Grata compañía*, México, 1948; *Letras de la nueva España*, México, Fondo, 1948; *Sirtes*, México, 1949; *Junta de sombras, estudios helénicos*, México, Colegio Nacional, 1949; *Tertulia de Madrid*, Buenos Aires, Losada, 1949; *Ancorajes*, México, 1951; *Marginalia*, México, 1952; *Verdad y mentira*, Madrid, Aguilar, 1950; VERSO: *Huellas*, México, Botas, 1922; *Ifigenia cruel*, Madrid, Calleja, 1924; *Pausa*, París, 1926; *5 casi sonetos*, París, Poesía, 1931; *Romances del río Enero*, Maestricht, 1933; *A la memoria de Ricardo Güiraldes*, Río, 1934; *Golfo de México*, Buenos Aires, 1934; *Minuta*, Maestricht, 1934; *Otra voz*, México, Fábula, 1936; *Cantata en la tumba de Federico García Lorca*, Buenos Aires, 1937; *Algunos poemas*, México,

Como decimos, salvo cortas y muy pocas escapadas, la vida de Alfonso Reyes no se aparta ya de su México natal. Con los innumerables libros adquiridos durante sus viajes, formó un verdadero centro de estudios, más que una Biblioteca particular, en torno de la que edificó sus habitaciones. Desde ahí se consagró a orientar a los jóvenes mexicanos, a impartir enseñanzas sobre toda la América, y a reunir, analizar, escarmenar y publicar sus escritos.

Cuando murió, Alfonso Reyes se hallaba en olor de santidad humanística. Se le comparaba justamente con Erasmo.

La extensa bibliografía que damos en la nota 1 señala la enorme tarea literaria de Alfonso Reyes durante su ya definitiva permanencia en México. No intervino, sino desde muy arriba, en las peleas y diferencias literarias. Trató de abstenerse de incursiones políticas. Se dedicó a empresas de cultura. Se atrincheró en sus libros y especulaciones, sin mengua de su gracia raigal y sin abdicar de su docencia literaria. Fue el amparo de los emigrados españoles de 1939, y con ellos y para ellos fundó, según he dicho, la Casa de España, en México, más tarde transformado en el Colegio de México. El nombre de Alfonso figuraba en toda obra de ahondamiento y difusión de los valores del espíritu. Recibe la consagración de miembro del Colegio Nacional de México. Interviene en la fundación de la Universidad de Nuevo León, su tierra nativa, de revistas como *Cuadernos americanos,* y la nueva de Filología, de bibliotecas, de museos, de editoriales. Imparte una especie de docencia ultramarina dando relieve estético a lo efímero, pero comprometido con lo permanente. Se lanza a la escabrosa, inútil y brillante empresa de presentar la literatura como una ciencia y una técnica, a través de las desiguales, airosas y discutibles afirmaciones de *El deslinde.* Tradu-

---

Nueva Voz, 1941; *Romances y afines,* México, 1945; *Cortesía,* México, Tezontle, 1948; *Homero en Cuernavaca,* México, Tezontle, 1949; *La Ilíada,* México, 1949; *Obra poética,* México, Fondo de Cultura, 1952; *Constancia poética,* México, Obras completas, 1959. Esta lista es incompleta. Se omiten varios títulos por ignorancia, otros por no tenerlos a la vista, y algunos por su carácter de folletos o "plaquettes".

ce del castellano ritual al castellano poético, en cuasi exámetros, varios cantos de *La Ilíada*, previa confesión de no conocer el griego. En realidad se sumerge en su propia obra; consagra meses, años, a buscarla, reunirla, ordenarla y publicarla. Cuando se conmemora su 70 aniversario, se halla optimista y barbado. El corazón, herido ya desde años atrás, le traiciona sólo cuando sus *Obras completas*, que él imaginara en 15 volúmenes, andaban por el décimo. Podría afirmarse, pese a su larga permanencia en la diplomacia, que Alfonso Reyes vivió y murió en olor de humanismo, más que de literatura. Que hizo de la literatura una expresión de humanidad, la mejor expresión del hombre.

La obra de Alfonso Reyes descansa casi íntegramente en sus ensayos. No obstante sería imperdonable omisión dejar de lado sus narraciones y sus versos. Con estos últimos se inició, como suele ocurrir, siendo un adolescente. Practicándolos y puliéndolos llegó a dominarlos y a parecer sentimental y de pura inteligencia. Tanta es la magia de ésta sobre la obra toda de Reyes que, al tratar de distinguir la cultura europea de la nuestra, no halló él otro camino mejor que describirlas a través de unas *Notas sobre la inteligencia americana*. Conviene tenerlo presente.

Mirando el caso de Reyes desde el punto de vista de la forma es indudable que se caracteriza como un gran prosista. No importa el género en que se le pretenda encasillar: ensayo, narración, crítica, memorias, su instrumento fue el más difícil: la prosa. No impedirá ello que cuando versifique luzca señorío y gracia, subida inteligencia. Compuso Reyes sus poemas a pura destreza verbal y alarde imaginativo: sus versos hasta cuando resbalan atenuando la elocuencia, son retóricos, pues que retórica no es sino el imperio del arte sobre la espontaneidad, y hasta la suplantación de ésta por aquélla.

Al comienzo, los versos de Reyes fueron apegados al hueso mitológico: prolongación de lecturas clásicas. Abundan las alusiones y menciones de Pan, Démeter, las Parcas, Calíope, Filis, Baco, Títiro, Ananké, el Egeo, Teócrito, Mosco, las Termópilas. Más tarde, en su plenitud, volverá a lo helénico, pero en prosa (*Ifigenia cruel*). Será en su más alta madurez cuando inicie la traducción de La Ilíada, escriba los donosos sonetos de Homero en Cuernavaca y nos brinde las sagaces apuntaciones de La crítica en la edad ateniense y otros ensayos igualmente sugestivos [2]. Pero, a medida que el bajel alfonsino entra en el mar, la proa se libera de sus míticos mascarones, e iza en el mástil banderas pintorescas y variadas: la de Rubén, la de Mallarmé, la de Juan Ramón, la de Valéry, la de Joyce, la de García Lorca, la de Verlaine. No le abandona nunca la gracia. A los cuarenta, rematará de esta guisa un poema despidiendo a Amado Nervo:

> *Eras cosa pequeñita:*
> *vivías en una nuez.*
> *Pero es tanta la malicia*
> *de morirse de una vez,*
> *que ya parece mentira*
> *lo que nos faltas después.*

Este ingenio funerario, es respondido en Ifigenia cruel con un peculiar y duple tono de sobriedad clásica y suscitación romántica:

> *Helenos: Uno llamaba Pílades al otro.*
> *Son dos amigos como dos manos bien trabadas:*
> *donde pregunta el uno, el otro le contesta;*
> *donde uno dicta, el otro le obedece.*
> *Son como un alma repartida en dos cuerpos:*
> *cuando habla el uno, calla el otro;*
> *y se completan como dos porciones*
> *de una misma necesidad.*

La diplomacia y la tertulia de cierto bordo entorpecen el alto y libre fluir de fantasía tan rica y de verbo tan preclaro. Emprende un travieso libro, Minuta. No todos los platos que ahí

---

[2] Sobre la actitud de Reyes con respecto a lo griego, desde sus primeros escritos, véase: Ingemar During, "Alfonso Reyes helenista", en el volumen Dos estudios sobre Alfonso Reyes, por I. During y R. Gutiérrez Girardot, Madrid, "Ínsula", 1962.

se exhiben resultan apetecibles. Es peligroso jugar tanto con el prosaísmo. Por ejemplo:

LEGUMBRES

*Dice aquél: Si el amor tiene espinas,
eso es ley de las flores más finas.
Mas, ¿por qué la amistad —dice ésta—
si es tan sólo legumbre modesta?*

Travesura e ingenio, que, a menudo, resultan en alarde de donaire, aunque no siempre. Dominio, sí, siempre. Consciente del significado preludial de sus versos, de que eran como solfeo para sus prosas Reyes escribirá, casi al final de su vida, una composición reveladora, titulada "La sinalefa" de la colección *Prosodia*:

*Seréis, versos, mis últimas locuras,
y tú, prosodia, mi final arrimo,
ahora que, de fútiles, suprimo
los arrebatos y las aventuras.
Las perlas reventonas y maduras
dejo que se desprendan del racimo,
y, por juntarlas solamente, rimo
cuando me brindan ocio mis lecturas.
Cual remendón poeta de los cuentos,
bordo mi manto, coso la cenefa,
a la medida de mis rudimentos.
Desoigo los rumores de la befa
y voy sacando mis atrevimientos
indemnes de la torpe sinalefa.*

A esta premonición responde, ya definitivo, otro soneto también escrito pocos años antes de su muerte:

*Sin olvidar un punto la paciencia
y la resignación del hortelano,*

> *a cada hora doy la diligencia*
> *que pide mi comercio cotidiano.*
> *Como nunca sentí la diferencia*
> *de lo que pierdo ni de lo que gano,*
> *siembro sin flojedad y sin vehemencia*
> *en el surco trazado por mi mano.*
> *Mientras llega la hora señalada,*
> *el brote guardo, cuido del injerto,*
> *el tallo alzo de la flor amada,*
> *arranco la cizaña de mi huerto,*
> *y cuando suelte el puño de la azada,*
> *sin preguntarlo me daréis por muerto.*

Empero, todo esto no es intrínsecamente poesía, sino recreación poética, juego de donaire, alarde de travesura y desboque de melancolía. Por cierto, prueba preclara de dominio literario, como el que trasuda su obra entera [3].

* * *

La prosa de Alfonso Reyes posee una pureza ejemplar. Escojo, aunque se trata de una verdad sin demostración necesaria, algunos ejemplos de textos distantes.

Por ejemplo, en *El plano oblicuo* (1920) en cuya dedicatoria manuscrita me hace recordar que son páginas "anteriores al surrealismo de Francia", hallamos estas expresiones de suyo sugestivas y de una rara perfección verbal:

> Tuve que correr a través de calles desconocidas. El término de mi marcha parecía correr delante de mis pasos, y la hora de la cita palpitaba ya en los relojes públicos. Las calles estaban solas.

---

[3] La poesía de Reyes está recogida en el tomo *Obra poética*, México, Letras Mexicanas, Fondo de Cultura, 1952, reproducido y ampliado en el tomo *Constancia poética*, tomo X de las *Obras completas*, México, Fondo de Cultura, 1959.

> Serpientes de focos eléctricos bailaban delante de mis ojos.
>
> A cada instante surgían glorietas circulares, sembrados arriates, cuya verdura, a la luz artificial de la noche, cobraba una elegancia irreal.

Si examinamos este párrafo, veremos que, con sólo quebrar los renglones, tendríamos versos surrealistas, versos como los de Cendrars y Soupalt, como los de Vicente Huidobro, e imágenes correspondientes. Es cierto que, acaso, la repetición del infinitivo "correr" no sea la más apropiada, pero podría suceder que el autor pensara en la fuerza corrosiva de esa repetición, a nuestro juicio inútil. El término "la hora de la cita palpitaba en los relojes públicos" pertenece por entero al estilo surrealista. Pero es más instructivo el resto del relato titulado "La cena". Data de 1912, o sea, cuando Alfonso Reyes contaba 23 años. La página no parece juvenil, empero. Por lo general, en aquel libro se advierte una propensión a la prosa limpia y rápida, desdeñosa de los incisos aclaradores (y enredadores) que a menudo convierten al castellano en sucursal del puntillismo alemán.

Sin embargo, años antes (si consideramos la fecha de aparición del libro) o después (si consideramos la fecha de la producción de las obras), en *Visión de Anáhuac*, cuya primera edición es de Costa Rica, 1917, se advierte que aquel cuasi adolescente, el Alfonso de los 28 años, manejaba con rara precisión y desenvoltura la prosa.

Cualquier párrafo, escogido al socaire, es igual a cualquier otro, en cuanto a perfección formal y a velocidad de figuras. Cojamos —no escojamos: cojamos— uno al vuelo:

> Suenan las flexibles sandalias. Algunos calzan zapatones de un cuero como de marta y suela blanca cosida con hilo dorado. En las manos aletea el abigarrado moscador, o se retuerce el bastón en forma de culebra con dientes y ojos de nácar, puño de piel labrada y pomas de pluma.

Si introducimos en esos párrafos algunas pausas gráficas, tendremos versos, y no muy libres, pues predomina en ellos el eneasílabo, preferido de los modernistas. Veámoslo:

> *Suenan las flexibles sandalias*
> *algunos calzan zapatones.*

Luego aparecen octosílabos:

> *De un cuero como de marta*
> *y suela blanca cosida.*

El aire es musical, la expresión exacta, el período corto, de perfecta concisión. Si comparamos estas expresiones con las que abundan en los escritos posteriores de Alfonso, resultarían desvaídas, no obstante su claridad. Mas, tal comparación resultaría asaz ociosa, porque no es posible transitar por los ensayos, cuentos, parábolas y discursos de Alfonso Reyes, sin tropezar, a cada paso, con giros airosos, con expresiones irónicas y luminosas, con un séquito impenetrable de sabiduría, agilidad y elegancia.

Como escritor de sangre que era, sus opiniones acerca de su oficio tienen mucha importancia. Presionado por tal circunstancia llegó a pensar (y no me parece un acierto, sino un inevitable error) que la literatura debería convertirse en una ciencia cuasi exacta. *El deslinde*, libro tenebroso, contiene su impar alegato al respecto. Felizmente, antes de llegar a la sequedad de sus afirmaciones, tejió la inconsútil tela de *La experiencia literaria*, volumen leve, bello y necesario como pocos. Para arribar a estas conclusiones, cima de una carrera sin tregua, hay que considerar los hitos o pasos intermedios. Uno de ellos, y no de los menos importantes, el trabajo titulado *Pasado inmediato* plantea los puntos de vista de Reyes acerca del problema de las generaciones y sobre la formación intelectual del grupo o promoción mexicana de 1910. Dice:

> La historia que acaba de pasar es siempre la menos apreciada. Las nuevas generaciones se desenvuelven en

pugna contra ella y tienden, por economía mental, a compendiarla en un solo emblema para de una vez liquidarla. El pasado inmediato. ¿Hay nada más impopular? Es, en cierto modo, el enemigo. La diferencia específica es siempre adversaria acérrima del género próximo. Procede de él, luego lo que anhela es arrancársele. Cierta dosis de ingratitud es la ley de todo progreso, de todo proceso.

No está exenta de amargura la frase: ocurre, además, que en torno a ese "pasado inmediato", Alfonso deberá hablar de su juventud, ligada según se ha visto, a los dramáticos sucesos de la política mexicana y a la muerte de su padre.

Advierte Reyes que aquel tiempo, el de 1910, época del Congreso Nacional de Estudiantes mexicanos, se caracterizó por cierto estatismo proveniente de la longevidad de los gobernantes: Victoria, en Inglaterra, Francisco José en Austria, Nicolás en Rusia, otro Nicolás en Montenegro, Porfirio Díaz en México, Guzmán Blanco en Venezuela. Es contra esa excesiva prolongación del pasado contra lo que se yergue primordial e íntimamente la juventud de aquel tiempo. En tal estado de cosas, las motivaciones espirituales adquieren un valor decisorio. Comentará Reyes: "Porque es cierto que la Revolución Mexicana brotó de un impulso mucho más que de una idea".

Reyes describe la órbita cultural del movimiento promovido por el Ateneo, dentro de limitaciones sentimentales e ideológicas fácilmente comprensibles, y teniendo en cuenta el modernismo entonces en clímax. Había llegado ya la hora de la reacción antisuntuaria de los posmodernistas, nacidos también de la lección de Rubén Darío. Lo dice Reyes:

> Sorprendíamos los constantes flaqueos de cultura en los escritores modernistas, que nos habían precedido, y los académicos, más viejos, no podían ya contentarnos. Nietzsche nos aconsejaba la vida heroica, pero nos cerraba las fuentes de la caridad... y nuestros charla-

tanes habían abusado tanto del tópico de la regeneración del indio.

Resultado de la reacción antinietzscheana, será el libro de Antonio Caso, compañero de grupo de Reyes, titulado *La existencia como caridad,* etc. Imitándolo, Reyes se erguía ya como un paradigma de tolerancia y finura (o mejor, *finesse*). Para corroborar todo esto, se hace indispensable consultar dos trabajos de Reyes: el titulado "Rodó", inserto o en *El cazador,* Madrid, 1921, y el titulado "Rubén Darío en México" que aparece en *Los dos caminos,* Madrid, 1923. Es curioso, pero, no obstante el estallido y eco interminable de la Revolución Mexicana, con su espantosa secuela de incendios, saqueos, heroísmos y brutalidades, los escritores de la generación de Reyes se inmunizan contra ella.

> La pasión literaria —escribe Alfonso— se templaba en el cultivo *de Grecia,* redescubría a España nunca antes considerada con más amor ni conocimiento; descubría a Inglaterra, se asomaba a Alemania, sin alejarse de la siempre amada y amable Francia. Se quería volver un poco a las lenguas clásicas y un mucho al castellano: se buscaban las tradiciones formativas, constructivas de nuestra civilización y de nuestro ser nacional.

Fiel a tal programa, discurrirá toda la vida literaria de Reyes, sacudida constantemente por la inquietud de lo nuevo, desde el ultraísmo hasta la jitanjáfora, desde Rubén hasta García Lorca, desde los hondones simbólicos de Mallarmé y Proust hasta la metafísica claridad de Juan Ramón y Valéry.

En "El reverso del libro" (ensayo que integra el tomo de *Pasado inmediato*) Reyes nos cuenta sus memorias literarias, lección inapreciable.

Con todo y aparte la indiscutible sabiduría literaria y de otros linajes, característica de Alfonso Reyes, así como su per-

manente actitud de tolerancia, había en él un observador directo
de la naturaleza, se tratase de persona, cosa, idea o sueño. De
ello nos da prueba en muchas breves crónicas escritas, a veces
con motivo de asuntos baladíes, otras teniendo por causa temas
profundos, todos investidos de agilidad volandera, emanación
natural del estilo de Alfonso. Veamos, por ejemplo, cómo empieza una poética "Palinodia del polvo" (recogida en el volumen
titulado *Ancorajes*, México, Tezontle, 1951):

> ¿Es ésta la región más transparente del aire? ¿Qué
> habéis hecho entonces de mi alto valle metafísico?
> ¿Por qué se empaña, por qué se amarillece? Corren
> sobre él como fuegos fatuos los remolinillos de tierra.
> Caen sobre él los mantos de sepia, que roban profun-
> didad al paisaje y precipitan en un solo plano espec-
> tral lejanías y cercanías. Dando sus rasgos y colores, la
> irrealidad de una calcomanía grotesca, de una estampa
> vieja artificial, de una hoja prematuramente marchita.
> Mordemos con asco las arenillas. Y el polvo se agarra
> en la garganta, nos tapa la respiración con las manos.
> Quiere asfixiarnos y quiere estrangularnos. Subterrá-
> neos alaridos llegan en la polvareda que debajo de su
> manta al rey mata...

No se necesita seguir. Valdría quizá la pena mencionar las
relaciones amistosas y de cooperación literaria que mantuvo Alfonso Reyes: Paul Valéry, Cendrars, Valery Larbaud, Gour-
mont, Marcel Bréton, Jean Cocteau, Vallé Inclán, Jiménez, Pedro Salinas, García Lorca, Dámaso Alonso, Américo Castro, Ramón Menéndez Pidal, Luis Araquistáin, Solalinde, Sánchez Al-
bornoz, Manuel Azaña, Ortega y Gasset, Gregorio Marañón, Ramón Pérez de Ayala, Enrique Larreta, Ricardo Güiraldes, Victoria Ocampo, Pedro Henríquez Ureña, José Vasconcelos, Enrique
González Martínez, Martín Luis Guzmán, Mariano Azuela, Rómulo Gallegos, Pablo Neruda, Ricardo Molinari... Todos, todos.
Ante la tumba de Paul Valéry tejerá una corona conmovedora,

en la que cabriolea de pronto un adjetivo novedoso: "Bailátil" aplicado a Euforion. Como este neologismo oportuno y armonioso los hay muchos en la prosa alfonsina. Aquel discurso fúnebre termina con una imprecación solemnemente rabiosa:

> Los ojos del vate, como la acusación de Caín, han de abrirse siempre desde alguna cúspide del espacio. ¡Oh pueblos de bestias, no habéis acabado con la Poesía!

Es difícil dar otra reencarnación de Erasmo, pero de un Erasmo *bon-vivant* y sonreído, como la de Alfonso Reyes. Hombres de mucho saber los ha habido, y no es de los menores don Marcelino Menéndez y Pelayo, prodigio del conocimiento y el juicio; de mucho saber y no menos ira creadora, como Unamuno; de mucho saber, pero de ostentoso acento magistral, como Ortega; mas una mezcla como la de Alfonso, de sabiduría, paciencia, ímpetu, espontaneidad (sí, aunque lo duden), y gracia, de elegancia y simplicidad, eso ocurre muy rara vez. Por eso, aunque no haya dejado la obra compacta, sólida, densa, impenetrable, a que aspiran por lo común los que mucho saben y los que mucho desearían saber, sino que es al revés, flexible como un estoque toledano y alada cual un abanico oriental; por eso, la de Alfonso Reyes es una obra de zarpadas y reencuentros, de *Kermesse* y *rond-point*, donde se encuentran, queriéndolo o no, un día designado o el que menos se espera, hombres y lecturas de todos los tiempos, de todas las procedencias y con todos los propósitos, desde beatos hasta los pecaminosos, desde lo clásico hasta lo ultramoderno, desde lo más cosmopolita hasta lo más provincial, camino este último —ya lo sabemos de memoria— por donde se aprehende lo más intenso del yo y lo más entrañable del mundo.

XLII

JUANA DE IBARBOUROU

(Melo-Cerro Largo-Uruguay, 8 marzo 1895)

Así como es de encendida la obra de Juana de Ibarbourou, así es de opaca su peripecia vital. Prácticamente no salió de Montevideo, aunque la fantasía se le volara hacia todos los reinos y no reinos imaginarios. Hasta su nombre verdadero suena a cotidiano: no su nombre literario, ni su literatura. Bella, sí, muy bella, pero detenida en su belleza más allá del tiempo, con el primor y algo de la picardía de Colette, aunque sin su desenfado. Revestida de la majestad de una reina bíblica, inclusive en los largos cabellos tercamente nigérrimos, su voz y su actitud suenan a engreído arrumaco, a arrumaco casi pueril. Con todo, su poesía es lo menos pueril, por muy adolescente. ¿No es acaso lo adolescente la antimonia de la infancia?

El verdadero nombre del poeta es Juana Fernández Morales, nacida en el poblacho de Melo, en Cerro Largo, distrito del Uruguay. Sus padres fueron, un español, Vicente Fernández, oriundo de la provincia de Lugo y nacido en 1851; y una criolla, Valentina Morales, nativa de Cerro Largo, en el año de 1858. Juana vino al mundo el 8 de marzo de 1895. Dicen que fue muchacha fantasiosa y de seguro coqueta. Se casó a los veinte con un apuesto capitán de ejército, llamado Lucas Ibarbourou. A los dos años les nació el único hijo, Julio César Ibarbourou; al año siguiente, 1918, los Ibarbourou abandonan Melo y se aposentan en Montevideo.

Por los datos de que disponemos sobre la infancia de Juana [1] podemos colegir que ya estaba herida del mal de la literatura. Lo prueba el hecho de que en 1919 apareciera su primer libro, el titulado *Las lenguas de diamante,* con que, de un salto, alcanza la fama. Un año después sobreviene *El cántaro fresco,* y en 1922, *Raíz salvaje.* Estos tres libros consagran a Juana de Ibarbourou como un poeta (o poetisa) vital, apasionado. No olvidemos lo reciente que estaba el recuerdo de Delmira Agustini y la solidez del renombre de María Eugenia Vaz Ferreira. Pero, Juana trae un nuevo acento. Por de pronto, un claro acento femenino. Nada en ella trasciende a ficción o metafísica. Todo rebrilla de pasión. Su lenguaje dista del de Gabriela y Delmira.

Es una mujer vibrante y encendida la que canta, la que nos encanta.

Luego viene una continuidad de triunfos: se la consagra como "Juana de América", el 10 de agosto de 1929; publica *La rosa de los vientos* (1930), *Los loores de Nuestra Señora* y *Estampas de la Biblia* (1934). Queda viuda en 1942; Lanza *Chico-Carlo* (1944). Siguen otros libros, entre ellos *Perdida* (1950), *Azor* (1953) y *Oro y tormenta* (1956). Se suceden los homenajes litúrgicos, que ella no desdeña. Vende sus obras completas al gobierno uruguayo. Adquiere compromisos con entidades oficiales. Ya no es la bella y libre poetisa de los primeros tiempos: se agobia de compromisos oficiales. La veo todavía en su aposento engañándose a sí misma con adobos y afeites. Mujer, mujerísima, no abdica jamás de su condición de tal.

---

[1] Dora Isella Rusell, "Noticia biográfica", en Ibarbourou, *Obras completas,* Madrid, Aguilar, 1953, págs. XXIII-LXIII; ibidem, *Juana de Ibarbourou,* Montevideo, 1952; María José de Queiroz, *A poesia de Juana de Ibarbourou,* Belo Horizonte, Univ. de Minas Gerais, 1961; A. Zum Felde, *Proceso intelectual del Uruguay,* 2.ª ed., Buenos Aires, Montevideo, Claridad, 1941; L. A. Sánchez, *Juana de Ibarbourou,* en Zig-Zag, Santiago, Chile, 18 julio 1953.

El título del primer libro se origina en dos versos de su composición inicial: "Serán nuestras pupilas dos lenguas de diamante, movidas por la magia del diálogo supremo" [2].

El libro carece de estructura, salvo el sentimiento que se le desborda. Una de las composiciones más típicas es la titulada: *Lo que soy para ti*, digna del Antiguo Testamento. Oigamos un trozo:

> *Cierva,*
> *que come de tus manos la olorosa yerba;*
> *que sigue tus pasos doquiera que van;*
> ....
> *Fuente,*
> *que a tus pies ondula como una serpiente;*
> *Flor,*
> *que para ti sólo da mieles y olor.*

Este tono apasionado y de entrega sumisa, se repetirá en todo el libro, hasta cuando impreca y depreca. Estas imprecaciones y deprecaciones tienen origen de amor, y ¡de qué terrible y desvastante amor, cuya cifra es la entrega total, precisamente porque Juana era una casta esposa al parecer exasperada de ensueños y de fidelidad conyugal! Basta oírla:

> *Tómame ahora que aún es temprano.*
> *Y que llevo dalias nuevas en la mano.*
> *Tómame ahora que aún es sombría*
> *esta taciturna cabellera mía.*

---

[2] Juana de Ibarbourou: *Las lenguas de diamante*, pról. Manuel Gálvez, ed. Buenos Aires, 1919; *El cántaro fresco*, Montevideo, M. García, 1920; *Raíz salvaje*, Montevideo, García, 1922; *La touffe sauvage*, trad. de F. de Miomandre, París, 1927; *La rosa de los vientos*, Montevideo, Palacio del libro, 1930; *Los loores de Ntra. Señora*, Montevideo, Barreiro, 1934; *Estampas de la Biblia*, pról. Gallinal, Barreiro, 1934; *Poemas*, Buenos Aires, Losada, 1942; *Chico-Carlo*, Montevideo, Barreiro, 1944; *Perdida*, Buenos Aires, Losada, 1950; *Azor*, Buenos Aires, Losada, 1953; *Obras completas*, Madrid, Aguilar, 1953; *Oro y tormenta*, Santiago, Zig-Zag, 1956.

> *Ahora que tengo la carne olorosa*
> *y los ojos limpios y la piel de rosa.*
>
> (La hora)

En realidad, tal oferta recuerda demasiado las constantes y ardientes estrofas de Delmira Agustini, que murió de tanto amar y por amar.

La obsesión del amor, del amor carnal, marca a fuego la poesía primordial de Juana. A cada verso aparece una provocación, una entrega:

> *¡Oh, lino, madura, que quiero tejer*
> *sábanas del lecho donde dormirá*
> *mi amante que pronto, pronto tornará!*
> *(Con la primavera tiene que volver).*
>
> (La espera)

Sin dificultades, solos, por mero impulso propio se subrayan los versos: "con la primavera tiene que volver", "ahora que tengo la carne olorosa"; y se destacan, en magníficas expresiones, absolutamente epitetales: "esta taciturna cabellera mía", "los ojos limpios y la piel de rosa". Son sin duda perentorias afirmaciones de juventud y de precisión.

La obsesión de "olor", "nardo", "dalia", "moreno", "rosa", caracterizan la poesía de Juana. Colores, flores y aromas capitosos, estimulantes, compañeros del amor. A ratos, y es natural, sus sonetos evocan a las de su gran compatriota Julio Herrera y Reissig, como el titulado "Amémonos". No es lo más típico. Singularizan a Juana y a sus versos la actitud de ofertorio, de sumisión ante el amor representado por un hombre, la entrega total a quien la posee, al Esposo de su *Cantar de los Cantares*, en este caso, al capitán Lucas Ibarbourou. Recuérdese, si no, el poema *El fuerte lazo*:

> *Crecí*
> *para ti.*

> *Tálame. Mi acacia*
> *implora a tus manos su golpe de gracia.*

Tal conducta se prolonga en todo el poema y, diría más, en todo el libro.

> *Soy enredadera:*
> *¡bendecida el hacha que mi tronco hiera!*
> *Soy una amatista:*
> *¡alabado el lodo que mi lumbre vista!*
>
> (Lamentación)

> *Cuido mi cuerpo moreno*
> *como a un suntuoso marfil,*
> *cuido mi cuerpo moreno*
> *para que de gracia lleno*
> *sea de pie hasta el perfil.*
>
> (Ofrenda)

Juana de Ibarbourou mantiene desde su primer libro una evidente postura narcisista. El mundo gira en torno no sólo de sus sentimientos, sino de su propia belleza, de su corporal belleza. *L'amour physique* inspira todos sus poemas. En el libro *Raíz salvaje* se repite el modo y la intención: una muestra entre muchas:

> *Con membrillos maduros*
> *perfumo los armarios.*
> *Tiene toda mi ropa*
> *un aroma frutal que da a mi cuerpo*
> *un constante sabor a primavera.*
>
> (Olor frutal)

El lenguaje de que se vale Juana es más coloquial que literario. Sin embargo, no obedece a razones de carencia léxica, sino a expontaneidad incoercible. No he visto ningún original de Juana, y por tanto ignoro su método de composición, si corrige mucho o poco. Me da, empero, la impresión de que produce por *impromptus*, dejándose arrastrar por el ritmo de la sangre, avasallándose. Algunas veces, surge en ella la artista, es decir, la artífice, y pule idioma y giros. Ello se ve en, por ejemplo, *Ruta*, composición que integra el tomo *Perdida* (1950), posterior a la muerte de su esposo (1942). Los años y el dolor han escandecido el estilo y las figuras del poeta. Lo dice:

> *Apaciguada estoy, apaciguada,*
> *muertos ya los neblíes de la sangre,*
> *silencio es, silencio,*
> *el día que empezaba en jazmín suave.*
> *Por otras calles voy, mucho más altas,*
> *bajo un gélido cielo de palomas.*
> *Es limpio, enjuto, el aire que me roza,*
> *y hay en el campo frías amapolas.*
> *Serena voy, serena, ya quebradas*
> *las ardientes raíces de los nervios.*
> *Queda detrás el límite*
> *y empieza el nuevo cielo.*

La diferencia con el acento de *Lenguas de diamante* y *Raíz salvaje* no requiere subrayarse. Se define de suyo. Más elocuente es aún la composición *La última muerte*, que forma parte del mismo libro:

> *Se me acabó la muerte*
> *que cultivé hasta ahora:*
> *la muerte de romance o de leyenda.*
> *Tránsito de cinema en alba y sombra,*
> *deslumbramiento de película,*
> *curiosidad gustosa.*
> ....
> *Ahora tengo la muerte*
> *sin voz, sin ojos, sin color ni cara,*
> *la que no es presencia ni paisaje,*

> *ni terrena esperanza.*
> ....

En *Elegía por una casa*, del mismo libro, Juana incursiona en un estilo distinto a todo lo suyo anterior, con notorias analogías a la poesía española contemporánea, la de García Lorca y Cernuda. Tendencia estilística, agravada o superada en el libro *Oro y tormenta* (1956), que es un sonetario.

Desde luego, en estos sonetarios se reitera casi siempre el eterno tema ibarburiano: el amor. Si le tizna la melancolía, no es tanto que acalle por completo la voz de la amorosa espera, de la esperanza ardida. El *Soneto a un nombre*, por ejemplo, recoge la experiencia de los libros anteriores en forma más cabal, y utiliza recursos retóricos que antaño desusara:

> *¿En qué célula está, sobre qué ensueño,*
> *de qué dolor proviene, o esperanza,*
> *ese nombre que pesa en mi balanza*
> *como collar de oro o breve sueño?*
> *Vive de mí, bruñido, azul, pequeño,*
> *en los contados días de bonanza,*
> *y en los de mi frecuente malandanza,*
> *agudo clavo es entre mi leño.*
> *¡Y, sin embargo, tan amado, tanto,*
> *que me rige la risa, está en el llanto,*
> *la crespa sangre, el inflexible hueso*
> *y este vivir muriéndome, tan mío!*
> *Dame calor o atiéreme de frío.*
> *Herida suele ser. Y a veces beso.*

Aquí no aparece sólo una sentidora, sino una artista. Las expresiones "crespa sangre" e "inflexible hueso" acusan maestría insigne. Lo mismo que el primer cuarteto, espuma de perfección. Se podría hablar de conceptismo, mas no del conceptismo tradicional, sino de otro nuevo, americano, que se enraiza con el del Lunarejo, Garcilaso y Sor Juana, adaptaciones y recreaciones del hispánico. La experiencia vital y literaria condensan la forma de Juana. No se desparrama ni ejerce ninguna grandilocuencia. Aunque subsista la delirante amadora, ella se vierte en forma apretada, impecable:

> Lo quiero con la sangre, con el hueso,
> con el ojo que mira y el aliento,
> con la frente que inclina el pensamiento,
> con este corazón caliente y preso
> y con el sueño fatalmente obseso
> de este amor que me copa el sentimiento,
> desde la breve risa hasta el lamento,
> desde la herida bruja hasta su beso...
>
> (*Como una sola flor desesperada*)

Podría hacerse una glosa de estos dos cuartetos línea por línea y palabra por palabra. Escudriñar el mágico acierto de ese "corazón *caliente* y preso"; o aquello de "desde la herida bruja hasta su beso", en todo lo que se encierra un profundo significado y aletea una vibración inesperada. Los que han creído que Juana de Ibarbourou es un poeta estrictamente erótico, en el sentido peyorativo y sensual del vocablo, saben ya que su erotismo es también transcendente y, por ende, a ratos cósmico. Como las anteriores abundan las expresiones felices y perdurables, por ejemplo: "Flauta de sal, ayer; hoy dulce caña en que ya trina una esperanza nueva", con que empieza el soneto *Serenidad*. Poesía de crispada mano, nunca de suspiro; de gemido, de amor, sí, nunca de susurros. El amor para Juana es afirmación, clamor, muy pocas veces zureo. El signo de la posesión o de la desposesión prima sobre el de la nostalgia o el deseo vago. Este romanticismo, como el de Jorge Sand, se alimenta de realidades, al menos entrevistas, mucho más que de sueños. Juana tiene una poesía vital.

En el minucioso estudio de María José de Queiroz se lleva a cabo un análisis exhaustivo de la poesía de Juana. Entre sus observaciones figuran la de que el poeta se expresa siempre metafóricamente:

> a imagem constitui o modo mais natural de expressão do poeta... O emprego de diminutivos, muito frequente na prosa de Juana de Ibarbourou, caracteriza o deséjo de volta ao estado de pureza infantil. Falando de *pajecito, pajarito, aguita, callecitas, lagunita, orillita, nochecita, niñita, monedita,* etc., desperta a consciência da criança adormecida pelos anos [3].

Todo esto es exacto, así como el rasgo del antropomorfismo. Empero, quizá nada delinea mejor la poética y la poesía de Juana que un paralelo sin duda obligado y por eso frecuente, con Gabriela Mistral y Delmira Agustini.

En realidad, la causa de tales analogías proviene de que las tres son mujeres, y de que se ha pretendido dotar de sexo a la poesía, que no lo tiene. Gabriela es tan viril como Martí, y Sor Juana tan femenina como Juan Ramón, si hubiese de admitirse el sexo poético. A su turno, la voracidad de Delmira corre parejas, en su tiempo, con la de Villaespesa. De ahí que, si se admite la necesidad de tales paralelos, deberíamos desprenderlos de toda relación con el sexo de sus autoras. Preferible sería circunscribirse al tema, al modo y a la época.

Delmira y Gabriela son casi coetáneas. Juana, posterior. Delmira se inicia primero, en un ambiente todavía en formación y bastante provincial, como era el Montevideo de 1900. Gabriela crece en una sociedad más cosmopolita, como Alfonsina, y su vida se nutre, desde el comienzo, de semillas de tragedia. A Delmira la halagan los hombres y parece a consecuencia de ello, hermosa, joven, triunfalmente tentadora. A Gabriela la amarga un hombre y la endurece el trabajo: se desarrolla protegida por una apariencia hosca, en cuyos duros rasgos alumbra una dramática y majestuosa fealdad. Juana llega a un mundo provinciano, en pleno desarrollo (el de Cerro Largo); pasa

---
[3] Queiroz, *A poesia de Juana de Ibarbourou*, ed. cit., págs. 182-183.

a una sucursal de cosmópolis, Montevideo; su belleza física, sedienta de homenaje, sufre la posesión implacable de un esposo, apuesto y exigente, nada adicto a la literatura. Lo que en Delmira fue insatisfacción, en Juana es, si insatisfacción, sólo imaginaria, pues estaba poseída por un amor firme, tenaz y absorbente. De ahí que las evasiones de Delmira sean clamores por lo que no se tiene, las de Juana por lo que se tiene pero se quisiera completar con ilusiones, las de Gabriela ausencia de amor y de hijo, de donde su terrible sentido maternal. Ni Delmira ni Juana, salvo excepciones, rinden pleitesía a la madre, que para Gabriela constituye obsesión.

Los versos de estos tres poetas sufren el impacto de sus vidas. Delmira será espontánea y extravertida, locuaz y exuberante; Gabriela, recogida, meditativa, austera y triste; Juana será más retórica, galana, un tanto vanidosa o narcisista, segura de su dicha, musical. No se puede hablar, por eso, de "una" poesía femenina, sino de la poesía ejercida por algunas mujeres de egregia sensibilidad.

De ahí, de la insobornable calidad humana y poética de las tres, resulta tan absolutamente absurdo el empeño de imitarlas. No existe ninguna Gabriela Segunda, ninguna Delmira Segunda, ninguna Juana Segunda. Por algo, en 1929, y en gran parte por iniciativa de Chocano, a Juana se la inviste del inmarcesible título de "Juana de América".

Juana escribe una prosa firme y precisa. *Estampas de la Biblia* y *Chico-Carlo* contienen páginas antológicas. Y ello provoca volver al paralelo con Gabriela, cuyos *Recados* poseen una sobrecarga de emociones y gérmenes ideológicos, que rebasan su continente formal. Tanto Juana como Gabriela son cristianas, lo que no parece ocurrir con Delmira. Con una diferencia: la abrupta Gabriela es cristiana a su manera, sanfranciscana, rendida ante el dolor de Cristo; Juana destaca su catolicismo, más bien un cristianismo dogmático y disciplinado, ritualista, sin el ímpetu salvaje de la chilena. Ese ritualismo es lo adecuado a su espíritu, a su forma literaria. De ahí cierto preciosismo invívito en sus versos y su prosa; de ahí, el temple pasional y exquisito de su obra, vibrante a veces, a veces monorrítmica, girando toda ella en torno del amor humano, del amor al hombre, a las excelencias del cuerpo, y a menudo también a las del alma.

Zum Felde caracteriza a la poesía de Juana como "gozo de vivir y plenitud de amor". "Toda su poesía está hecha de amor a la tierra y de sensualidad delicada" [4].

Añade Zum Felde que el misticismo de Juana es amor a la inmortalidad del cuerpo, antes que la del alma. Coinciden nuestras apreciaciones, en parte, con las que el crítico uruguayo hace acerca de la técnica literaria de la autora de *Raíz salvaje*. El resto del comentario está constituido por descripciones del ambiente montevideano y apreciaciones sobre ciertos aspectos de la personalidad del poeta.

Juana de Ibarbourou vive ahora su sereno crepúsculo. Obtuvo el Premio Nacional de Literatura del Uruguay, ha recibido diversos galardones extranjeros, ha dado numerosas conferencias, se ve rodeada de admiradores y devotos, última sobreviviente de la luminosa pléyade de escritores posmodernistas. Cuando Juana empezó a publicar, ya había muerto Rubén y se iniciaban los "vanguardistas". No la rozaron. Su fidelidad a los módulos posmodernistas fue más fuerte que la tentación de lo novedoso. No tuvo, pues, dificultad alguna para enhebrar su poesía con el neoclasicismo de la generación hispana de 1925, aunque lo hizo tardíamente, en el libro *Oro y tormenta*. No disminuye eso la perfección de sus logros, ni amengua la pánica alegría de sus incoercibles himnos de amor.

---

[4] A. Zum Felde, *Proceso intelectual del Uruguay*, Montevideo, Claridad, 1941, pág. 467.

XLIII

LUIS PALÉS MATOS

(Guayama, P. Rico, 20 marzo 1898 — San Juan de P. R., febrero 1959)

Tenía sangre y tierra de poeta. Su padre, Vicente Palés Anés, murió recitando un poema propio, titulado "El cementerio", en una fiesta literaria dedicada a José Santos Chocano el año de 1913 [1]. Su madre también amaba las letras. Sus hermanos no le fueron en zaga; escriben versos. La tierra de Guayama resuda églogas; la de San Juan y la isla entera de Borinquen, lirismo y a veces tedio. El mismo Palés, era un hombre pequeño, gordezuelo y zumbón, en cuyos súbitos arrebatos, a veces provocados por el alcohol, surgía, incoercible, extraña fuerza poética. En medio de una civilización sistematizada, se le permitía disentir y hasta blasfemar. Tenía un hogar modesto y sereno. Su mujer le acompañaba con fidelidad y admiración de hembra helénica: muy a entender y a ser entendida. Luis usaba unas camisas detonantes, de dudosos gustos, pero el aire suave de sus gestos y sus acotaciones sutiles compensaban ciertos largos mutismos y rezongos como los que le asaltaban en las largas veladas en un Bar-Restaurante de la Avenida Ponce de

---

[1] L. A. Sánchez, *Aladino, vida y obra de José Santos Chocano*, México, Libro Mex., 1961, pág. 261.

León, en Santurce. Como puertorriqueño legítimo amaba el sol y tenía adoración, beata adoración por la trasnoche. Los políticos le respetaban y querían; los literatos le tenían por dios mayor; la gente del pueblo, por especie de brujo, exorcizador de poemas. Cuando se pasaba de trago, era el único ciudadano borinqueño para quien no regían las normas policiales. Al volver a su ser natural, que era el consuetudinario, resaltaba por su apacible sonrisa y su dulce capacidad de comprensión. Se recitaban sus versos sin entenderlos, por oírlos y deleitarse de su sonido. Había logrado una plasticidad musical y una cabriola irónica, que ningún poeta caribe, ningún "negrista" de profesión, acertó a igualar. Era blanco, de barba fuerte y rasurada, de pelo negro ligeramente crespo, con ojos de miope, uno de ellos levísimamente estrábico tras los anteojos de delgado arco de carey. El belfo inferior sobresalía un algo. Era carirredondo y cuerpifuerte. Nunca le conocí jactancias. A lo sumo, arrebatos de indignación pronto desleídos en un verso de zumba o en una franca risotada. Luis Palés se murió de niño, al bordear los sesenta: verdadera fortuna.

Debo superar mis remembranzas personales para enfocar de otra manera al que inició la poesía antillana de negros para blancos, abriendo el camino a Alejo Carpentier, Emilio Ballagas, Nicolás Guillén, Jorge Artel y los demás. Porque fue, sin duda, Luis Palés Matos el Colón de la aventura poeticonegrista [2].

Todo cuanto se ha discutido al respecto carece de interés real. Hay dos hechos precisos: a) que la primera composición "afroantillana" o negrista de Palés aparece en 1926, antes que toda la producción análoga de Carpentier, Guillén y Ba-

---

[2] Obras de Palés Matos: *Azaleas,* poesías, Guayama, Rodríguez y Cía, 1915; *Tuntún de pasa y grifería. Poemas afroantillanos,* pról. de A. Valbuena Prat, San Juan, Bca. de Autores Puertorriqueños, 1937, 2.ª ed., pról. Jaime Benítez, San Juan, id., 1950; *Poesías* (1915-1956), pról. Federico de Onís, San Juan, Universidad, 1957; *Litoral,* autobiografía publicada en fragmento en *Universidad* (1952) y otras revistas de la Isla.

llagas, y *b)* que aun cuando a menudo onomatopéyica, la poesía "negrista" de Palés es esencialmente modernista, o sea, la de un blanco o mulato o lo que fuere, escribiendo musicalmente sobre temas negroides [3].

Palés se inicia como modernista. Sus claros modelos fueron Herrera y Reissig, Lugones, Ricardo Jaimes Freyre, Luis Carlos López (después). Por 1921, asociado a De Diego Padró, lanza el movimiento "diepalista", mote formado con sílabas de ambos apellidos: Diego-Palés. A propósito, conviene señalar que en Puerto Rico se han producido, acaso como en ninguna parte, numerosos "ismos" a causa de personas afanadas en perdurar en escuelas: *diepalismo, euforismo, noísmo, meñiquismo,* etc. Palés no se sustrajo a esa regla más de buena compañía que de buena literatura. Pero, su personalidad era invencible. Se impuso y creció.

Puerto Rico se hallaba cuando Palés era joven (él nos lo cuenta en *Litoral,* de que se han publicado solo capítulos), en el difícil tránsito entre la colonia española y la posesión norteamericana. Muchos buscaron como refugio el acercamiento a América Latina, validos del modernismo entonces en plena boga [4]. El hecho es que a los dieciséis o a los diecisiete de su

---

[3] Sobre Palés, F. de Onís, *Antología de la poesía española e hispanoamericana,* Madrid, Rev. de Filología, 1934; id., introducción al tomo *Poesía* de Palés, cit.; J. A. Portuondo y Eugenio Florit, estudio y antología, en *Revista hispánica moderna,* Nueva York, XVII, 1951; Tomás Blanco, Fernando Ortiz y Margot Arce, polémica en artículos publicados en la *Revista Bimestre Cubana,* La Habana, t. 1934-1936; Tomás Blanco, *A Puertorrican Poet,* en *The American Mercury,* tomo XXI, 1930; J. de Diego Padró, *Antillanismo, criollismo, negroidismo,* en "El Mundo", San Juan, P. R., 19 de noviembre 1932; Margot Arce, *Impresiones,* San Juan, 1950; F. Manrique Cabrera, *Historia de la literatura puertorriqueña,* Nueva York, Las Américas, 1956; Josefina Rivera de Álvarez, *Diccionario de literatura puertorriqueña,* San Juan, Universidad, 1955; *La Torre,* revista de la Universidad de Puerto Rico, dedicada a Palés, Río Piedras, P. R., núms. 29-30, abril 1960, y el magnífico trabajo de Miguel Enguídanos, *La poesía de Palés Matos,* Ediciones de la Universidad de Puerto Rico, 1961, 87 págs..

[4] No son uniformes las fechas que se asignan al nacimiento de

edad, Palés edita su primer libro, *Azaleas*, bajo la impronta del modernismo sudamericano. Bastarían unos pocos ejemplos:

> apaga la montaña su figura
> borrándose en un éxtasis turquesa
> (*Crepuscular*)

> y ante la paz violeta del ocaso
> sus ojos cobran moribundas luces
> (*Fantasía de la tarde*)

trasuntos de Herrera y Reissig o del Lugones de *Los crepúsculos del jardín*. Hay otros de distinta índole:

> La mañana de yodo y marisco
> desparpaja en el mar su decoro
> y el sol corre en las ondas arisco
> como extraño cangrejo de oro
> (*Marina*)

que guardan el eco del Lugones de *Lunario sentimental*, y el Herrera de *Las pascuas del tiempo*. Los adjetivos y los sustantivos que usa Palés son, como lo advierte F. de Onís, cabalísimos: *oro, frufrú, sedas, azul, blanco, rosa, violeta, gris, místico, opulento, vespertino, alcoba, nieve, lilas*, etc. Hay juegos rítmicos como uno de versos de 12 y 9, aunque parezca de 11 y 9, llenos de viveza:

> El corro invernal de alegre vejez
> se ha puesto a jugar ajedrez.

En otra composición, "El Duque", podría hallarse una reminiscencia del José María Eguren de *Simbólicas* (1911). No se arguya que la distancia hacía imposible ese contacto. Palés Matos me habló varias veces de "su paisano Eguren", con entu-

---

Palés: la señora Rivera señala 1899, Onís, 1898. En *La Torre* se fija el de 1898 como indudable.

siasmo y devoción. Para que no se me tilde de exagerado, transcribo unos versos más de aquella composición titulada "Y una mano extraña", escrita en eneasílabos, metro que usó Eguren como todos sus principales coetáneos:

> "Jaque al Rey". Y el pobre, con su cota rota,
> huye por el campo bajo su derrota.
> Mas, rápidamente, con sesgo certero,
> un alfil le rinde y hace prisionero.
> Los viejos aplauden el lance guerrero,
> y mientras comentan los sabios pasajes,
> el viento, medroso, da en los cortinajes,
> y una mano extraña recorre el tablero.

La reminiscencia de Darío ("Yo adoro a una sonámbula con alma de Elisa...") es clara en la composición "Yo adoro" que empieza:

> Yo adoro a una mujer meditabunda
> de larga y ondulosa cabellera
> que va agrandando el surco de su ojera
> con el riego de llanto que la inunda...

Pero, es a partir de "Esta noche he pasado..." ("Esta noche he pasado por un pueblo de negros...", que debe referirse a algún paseo por Loíza, aldea cerca de Río Piedras), donde asoma el poeta perdurable. Ahí habla ya de "diptongueantes guturaciones ñáñigas", precisando su vocación melódica. Se acentúa la tendencia en "Voz de lo sedentario y lo monótono", donde el tedio se convierte en verso. Palés, no cabe duda, lee en ese tiempo preferentemente poemas latinoamericanos. Así podría establecerse una cierta semejanza entre "Plegaria" de José Lora y Lora, peruano, autor de *Anunciación*, libro publicado por Garnier, de París, en 1908, y "Bocetos impresionistas" de Palés. Veamos:

PLEGARIA (de Lora y Lora)

*Y para el pensamiento que en la noche
sin bordes de la Nada, quedó preso,
antes de hallar el verbo cristalino,
como la flor marchita antes del brote
como el amor extinto antes del beso
como el canario muerto antes del trino.*

BOCETOS IMPRESIONISTAS

*Heme aquí de pie en el trapecio
disparado en mecida larga,
hacia la flor que no perfuma,
hacia la estrella que no existe,
hacia el pájaro que no canta.*

Concluyamos: ambos se inspiraron en Albert Samain, en Edgar Poe y en Guerra Junqueiro, muy adictos a esa forma de comparación, en escala diminuente.

Palés ocultaba a un sentimental irredimible. Sus temas predilectos son el circo, el hombre de vida mediana, el poeta que parece un perro (por lo desdeñado), el "flaco saltimbanqui", "la aldeana... que estuvo ayer en la ciudad de compras"; por eso alcanza acentos de mordiente ternura en *Topografía* y otros poemas. Por ese tiempo escribe "Pueblo", que a mi juicio es como una cisura que divide en dos la obra de Palés, poniendo remate a su primera época.

*¡Piedad, Señor, piedad para mi pobre pueblo,
donde mi pobre gente se morirá de nada!
Aquel viejo notario que se pasa los días
en su mínima y lenta preocupación de rata;
este alcalde adiposo de grande abdomen vacuo
chapoteando en su vida tal como en una salsa...*

Es la época de "Kalahari" : "¿Por qué ahora la palabra Kalahari?" se pregunta el poeta. Le ocurre frente al mágico vocablo, lo que a Joyce ante el de "parálisis" y a Apollinaire ante el de "archipiélago". Este súbito descubrimiento del valor de las sílabas, anuncia al destrozador de sensaciones inéditas y léxico intransferible.

> *Con cacareo de maraca*
> *y sordo gruñido de gongo,*
> *el telón isleño destaca*
> *una aristocracia macaca*
> *a base de funche y mondongo.*

En adelante será el reinado de la onomatopeya, el devanar de la melodía, el delirio de las figuras audaces y calientes, con aguerridas *gues, efes, eñes* y *eles*, propias del enmelazado lenguaje caribe. Tal lo presenta José Robles Pazos en el artículo "Un poeta borinqueño", publicado consagratoriamente en *La Gaceta literaria* de Madrid, del 15 de setiembre de 1927. Robles piensa que Palés se inspira en el *Decameron negro* de Frobenius, las obras africanoides de René Maran y Paul Reboux, y la poesía de Antonio Machado y Valle Inclán: el crítico español prefiere ignorar la trasculturización americana, acaso por absurdo patriotismo literario. No se ha dado en América nada tan rítmico y exacto como "Danza negra". Las palabras se transforman en instrumentos musicales, las sílabas en notas:

> *Calabó y bambú*
> *bambú y calabó.*
> *El Gran Cocoroco dice: tu-cu-tú,*
> *la Gran Cocoroca dice: to-co-tó;*
> *es el sol de hierro que arde en Tomboctú.*
> *Es la danza negra de Fernando Po*
> *el cerdo en el fango gruñe: pru-pru-pru.*
> *El sapo en la charca sueña: cro-cro-cro,*
> *calabó y bambú,*
> *bambú y calabó.*

Para glosar la poesía afroantillana de Palés se haría preciso transcribir casi toda esta parte de su obra realmente luminosa, tierna, alegre, irónica, sensual y plástica. Hasta se podría atribuir a algunos fragmentos, cierta penetración profética. ¿O no la tienen estos versos, que datan de 1933, mucho antes de los sucesos iniciados en 1945?:

> *Asia sueña su nirvana.*
> *América baila el jazz.*
> *Europa juega y teoriza.*
> *África gruñe: ñam ñam.*

La "Falsa canción de Baquiné" ("Vedlo aquí dormido // Ju-ju. // Todo está dormido // Ju-ju. // ¿Quién lo habrá dormido? // Ju-ju. // Babilongo ha sido sido // Ju-ju.") posee una melancolía indecible; en cambio, el poeta sonríe a toda boca en "Majestad negra" ("por la encendida calle antillana // va Tembandumba de la Quimbamba. // Rumba, macumba, candombe, bámbula... //") así como en "Lagarto verde" (El condesito de la Limonada...) y la magistral "Elegía del Duque de la Mermelada", que transcribo:

> *¡Oh, mi fino, mi melado Duque de la Mermelada!*
> *¿Dónde están tus caimanes en el lejano aduar del Pongo,*
> *y la sombra azul y redonda de tus boababs africanos*
> *y tus quince mujeres olorosas a la selva y a fango?*
>
> *Ya no comerás el suculento asado de niño,*
> *ni el mono familiar, a la siesta, te matará los piojos*
> *ni tu ojo dulce rastreará el paso de la jirafa afeminada*
> *a través del silencio plano y caliente de las sábanas.*
>
> *Se acabaron tus noches con tu suelta cabellera de fogatas*
> *y su gotear soñoliento y perenne de tamboriles,*
> *en cuyo fondo te ibas hundiendo como en un lodo tibio*
> *hasta llegar a las márgenes últimas de tu gran bisabuelo.*

Ahora, en el molde vistoso de tu casaca francesa,
pasas azucarado de saludos como un cortesano cualquiera,
a despecho de tus pies que, desde tus botas ducales,
te gritan: Babilongo, súbete por las cornisas del palacio.

¡Qué gentil va mi Duque con la Madama de Cafolé,
todo afelpado y pulcro en la onda azul de los violines,
conteniendo las manos que, desde sus guantes de aristócrata,
le gritan: —Babilongo, derríbala sobre ese canapé de rosa!

Desde las márgenes últimas de tu gran bisabuelo
a través del silencio plano y caliente de las sábanas,
¿por qué lloran tus caimanes en el lejano aduar del Pongo?
¡Oh mi fino, mi melado Duque de la Mermelada!

Las estampas de "Intermedios del hombre blanco" revelan al pintor acre y luminoso del trópico antillano, igual que "Ñáñigo al cielo", donde se hallan expresiones tan leves y profundas como éstas: "el cielo se ha decorado // de melón y calabaza"... "los ángeles vestidos // con verdes hojas de plátano"... "la gloria del Padre Eterno // rompe en triunfal taponazo". No se podría dejar la mención de "Canción festiva para ser llorada", otra joya de antología. Porque ésa es la mala suerte de Palés Matos, en su etapa de 1926 a 1956: ser un poeta antológico cien por cien. Los "Aires bucaneros" presentan un poeta marcial y aventurero de tema a ritmo:

> *Para el bucanero carne bucanada*
> *el largo mosquete de pólvora negra,*
> *la roja camisa, la rústica abarca*
> *y el tórrido ponche de ron con pimienta.*

Un dodecasílabo alegre y retante, distinto de los moldes de Nervo y Chocano: no ya las fórmulas de 3 + 3 + 3 + 3, ni tampoco las de 4 + 4 + 4, sino lisa y simplemente la de un legítimo 6 + 6, con cesura de verdad y hemistiquios cabales.

Empero, este poeta al parecer extravertido, musical y pictórico, vuelve después de mucho a sus primeras fuentes, al neobarroco modernista, pero más parco, como que ha pasado la etapa del frenesí y la suntuosidad rubendariacas. No en vano han salido a la palestra los exhumadores de Góngora: Pedro Salinas, Jorge Guillén, Dámaso Alonso, Gerardo Diego, Federico García Lorca, la generación de 1927. Además, desde 1951, la presencia de Juan Ramón Jiménez en la Isla crea un mágico círculo de discípulos. Palés Matos se recoge sobre sí mismo y canta:

> *Por repartida que vayas*
> *entera siempre estarás,*
> *aun dándote de mil modos*
> *no te fragmentas jamás.*
> *Cada donación que haces,*
> *cada dádiva que das,*
> *te deja siempre lo mismo*
> *al repartir o donar...*
> *prodigio del dar y ser,*
> *milagro del ir y estar...*

Súbitamente serio, aunque siempre gracioso, Palés Matos recuerda, ya en otro acento, a Filí-Melé en "Puerta al tiempo en tres voces":

> *Del trasfondo de un sueño la escapada*
> *Filí-Melé. La fluida cabellera*
> *fronda crece, de abejas enjambrada;*
> *el tronco, desnudez cristalizada*
> *es desnudez en luz tan desnudada*
> *que al mirarlo se mira la mirada.*
> *Frutos hay, y la vena despertada*
> *látele azul y en el azul diluye*
> *su pálida tintura derramada,*
> *por donde todo hacia la muerte fluye*
> *en huida tan lueñe y sosegada*

> que nada en ella en apariencia huye.
> Filí-Melé, Filí-Melé, ¿hacia dónde
> tú, si no hay tiempo para recogerte
> ni espacio donde puedas contenerte?
> Filí, la inaprensible y atrapada,
> Melé, numen y esencia de la muerte.
> Y ahora ¿a qué trasmundo, perseguida,
> serás, si es que eres? ¿Para qué ribera
> huye tu blanca vela distendida
> sobre mares oleados de quimera?

La inteligencia se adensa y el sentimiento se ahonda. Con este ahondamiento se aconcava la melodía, adquiriendo aires de plegaria. Si por un lado, sin Palés Matos no se explica a Nicolás Guillén ni a Ballagas, por otro lado ¡qué limpia es la voz de Palés, desasida de proclamas e iracundias, sin compromisos de partido! plácida y juguetona aunque no exenta de rebeldía y ternura; ¡cómo se hace querendona, humana, releída y releíble, audida y audible, mientras se aleja en el tiempo, mas no en el espacio; pues la tenemos aquí, junto a la oreja y en el pliegue de la sonrisa bondadosa, para abanicarnos con ella, fresca poesía de trópico; para entristecernos con su eco, dulce protesta de un bien permanentemente perdido y reencontrado: la cifra de una raza y el destino de un pueblo: raza y destino de los mulatos: *tun-tun de pasa y grifería!*

Palés Matos pertenece a la poesía universal, estaba perteneciendo, si se quiere, de suerte que sus concomitancias de ritmo y tema con asuntos locales, son sólo la manera de engarzarse con lo cósmico. En su bello trabajo, Miguel Eguídanos, un joven profesor español largamente avecindado en Puerto Rico, complementa y traspasa las conclusiones por cierto sagaces y exactas de Valbuena Prat, Blanco, Jaime Benítez, Margot Arce y Federico de Onís. En ese ensayo, *La poesía de Palés Matos* (1961), destaca cómo el sueño fue el alimento natural de la lírica palesiana. A propósito, y para ejercitar una espléndida glosa, transcribe estrofas de su autor, como:

> *El sueño es el estado natural. Nuestras vidas*
> *sólo turban con leves, fugaces movimientos,*
> *ese caz de agua inóvil perennemente mudo*
> *muy allá de los límites del espacio y el tiempo.*

Sirve la estancia, con las demás que Enguídanos compendia, para demostrar la actitud palesiana ante la vida, y para, además, y es de gran importancia, juntar en apretadísimo haz sueño y vida, o vida-sueño, en todo lo que escribió. Ello explica la identidad con Poe, uno de cuyos poemas, "Dreamland" recrea Palés en su composición titulada "La tierra de los sueños"[5]. La coincidencia no es formal ni de afición, sino de vocación o raíces. Palés, como Poe, vivió a plenitud soñando y escribió lo que vivía, es decir, lo que soñaba, ya que se trata en la suya no de una "vida que es sueño" como la de Segismundo, sino de una "vida-sueño" como la de Poe, o como la "vida recuerdo" de Proust. De ahí que Palés, al presentar su libro *Tun-tun de pasa y grifería* confía al lector:

> *en el todo es*
> *algo entrevisto o presentido,*
> *poco realmente vivido*
> *y mucho de embuste y cuento.*

Apoyo el adverbio "realmente", pues de su énfasis depende el significado intenso y prístino de la estrofa. Y de la obra. Tanto es así que, poco antes de morir, en unos versos exhumados por Onís en su colección *Poesía*, invoca a la muerte en términos nada físicos a pesar de que las palabras lo son y en grado sumo. Dicho de otro modo; Palés usaba en sus últimos días, cuando empezaba a destilar sus conversaciones con la muerte, un lenguaje coloquial en extremo, para envolver imágenes y sentimientos absolutamente extracoloquiales, o sea, alquitarados y diáfanos. Además utiliza metros populares, como

---

[5] M. Enguídanos, *ob. cit.*, págs. 4 y 37, *et passim*.

el endecasílabo de gaita gallega, acentuando la primera, cuarta y séptima antes de la forzosa acentuación en décima, con variantes en segunda en vez de primera; se titula el todo "Diretes a la muerte tramposa":

> *Antes que puedas ganar la partida*
> *vayan diretes a tu arte tramposo,*
> *arte putero de mala querida,*
> *extraño a todo quehacer decoroso.*

La muerte reducida así a diálogo de esquina tropical no asume ya caracteres aterradores. El poeta la mira a los ojos, como una transeúnte: le dice:

> *Y ya eres en mi vida*
> *como un simple suceso cotidiano.*

La imagen no es nueva ni insólita, pero contribuye a señalar una posición, una filosofía, un estado de ánimo, un temple poético, para usar el término sartriano. Coincide, evidentemente, con la elegía a "Filí-Melé", de que he transcrito fragmentos, una de las más tiernas, sutiles y atormentadas elegías de nuestro idioma, en estos tiempos, donde se retuercen los conceptos para ahorrar palabras y simplificar así la expresión de acendrados sentimientos, del más acendrado de todos, el de la fugacidad e inanidad de la vida, de la persistencia invencible de los sueños, de la desesperada esperanza de retener al fin, como un a manera de legado inmarcesible, el sueño de alguien que amamos y nos amó, mujer de seguro, símbolo a veces, eso a que no podemos renunciar aunque se nos huya, ese algo misterioso y poderoso, dentro de su dulzura, que siempre es, que siempre

> *era un humo delgado, era un aire pequeño*
> *que por alguna grieta del alma penetró,*
> *y, como ni del humo ni del aire se es dueño,*
> *un día, inesperadamente, del alma huyó.*

XLIV

MEDARDO ÁNGEL SILVA

(Guayaquil, 8 junio 1898 — 10 junio 1919)

Guayaquil vivió entre 1915 y 1925 una aguda crisis espiritual, destilada verso a verso en los poemas de Ernesto Noboa Camaño, J. A. Falconí Villagómez, el quiteño José María Egas y Medardo Ángel Silva. Después de 1930, se reflejaría esa angustia en la novela. Durante el primer período, las letras guayaquileñas estuvieron íntimamente unidas a las del Perú. Gran Capitán de la Literatura del Pacífico era Abraham Valdelomar; José María Eguren, el duendecito musical, ejercía una especie de sacerdocio laico, vibrante de melodías.

En agudo y tierno estudio sobre aquel ambiente, Raúl Andrade (de Quito) ha dicho refiriéndose a Silva:

> El poeta mulato usa enormes gafas de carey —envío de Abraham Valdelomar— y lleva pantalones lustrosos y remendados, provocando la irritación de las buenas gentes fenicias. Escribe un admirable soneto para los pies de Anne Pavlova, que ha detenido su bandada de garzas en el puerto. Y, por la noche, bajo un calor sofocante, infla telegramas, y vierte al castellano la "prosa magnífica de los gacetilleros". Se llama Medardo Ángel Silva, y una tarde rubrica con un tiro

su drama de marqués —de blasón— extraviado, venido al mundo bajo una caparazón menospreciada de mulato [1].

Al aludir a la influencia de Eguren y Valdelomar, Andrade aclara:

> En el Perú ha tomado cuerpo (en 1916) un vigoroso movimiento encabezado por Abraham Valdelomar, Percy Gibson, José María Eguren, cercano pariente poético de (Humberto) Fierro, pero jamás su ascendiente lírico y otros pilotos de la nave corsaria que fue (la *revista*) "Colónida".

Para entonces, M. A. Silva llegaba a los 18 años, apenas [2]. *Colónida*, la discutida revista peruana, abría su promisorio y rebelde surco en la conciencia estética de la gente del Pacífico. Los "paraísos artificiales" (retardado eco de Baudelaire y Farrere, entraban en plena vigencia. Los peores pecados llevaban entonces nombres de escritores: Marinetti, Lorrain, Huysmans, De Quincey, D'Annunzio. Sería necio negar la intempestiva vitalización de la literatura. Usando un giro de San Agustín, se estilaba entonces sobrellevar no una vida mortal, sino "una muerte vital". Tal fue la de Medardo Ángel Silva, autosuprimido en la flor de sus 21 años.

---

[1] Raúl Andrade, *El perfil de la quimera*, Quito, Casa de la Cultura ecuatoriana, 1951, pág. 101. El ensayo se intitula "Retablo de una generación decapitada" (1939); J. J. Pino de Icaza, *Una interpretación de Medardo Ángel Silva*, Guayaquil, Imp. del Colegio Rocafuerte, 1955, 30 págs.

[2] Las fechas de 1898 y 1919 las da el propio poeta, cuando dice en su poema *Aniversario*, escrito en 1918: "Hoy cumpliré veinte años: amargura sin nombre / de dejar de ser niño y empezar a ser hombre". Las mismas fechas las da Isaac Barrera en *La literatura del Ecuador*, Buenos Aires, Inst. de Cult. latinoamericana, 1947; así también César Andrade Cordero en *Ruta de la poesía ecuatoriana contemporánea*, Quito, 1951; no así Benjamín Carrión que señala 1899 y 1921 (*Índice de la poesía ecuatoriana contemporánea*, Santiago, Ercilla, 1941), sin decir por qué.

De precocidad increíble, a los 15 años escribe ya:

*mis ojos te seguían con la mirada triste
que lanza un moribundo a la salud que pasa*
(*Estancia*, I)

donde salta a la vista la influencia de Samain y de Herrera y Reissig.

Los títulos de otros poemas suyos de esos días, denuncian lecturas pesimistas: "Baladas de la melancolía otoñal", "Baladas del infante loco", reminiscencias de Samain y Ravel; "Estancias", eco retrasado de Jean Moréas; "Libro de amor", que evoca a Coppée y Verlaine; toda esa cosecha va a agavillarse en las páginas de un libro: *El árbol del bien y el mal* (1918)[3], donde se reúne la obra del joven suicida, entre las fechas de 1914 y 1917, es decir —y azora pensarlo— entre los 16 y los 19 años de su edad. Este Rimbaud tropical agoniza verso a verso, entre remedos y hallazgos, siempre espiritual y tenso, indudable señor de su aguda sensibilidad.

El primer poema del libro, *La investidura,* basado en una cita pesimista del *Gita Govinda,* indostano, luce un caudal de palabras y giros mágicos: *oros, púrpura, música, brisas, pinos sonoros, rosas,* y giros como "un terciopelo verde parecía la pampa", "león de aceradas zarpas", "polífona orquesta", "la noche de tu abismo", "la selva parecía un corazón inmenso", de donde podría inferirse, y no sería raro, la presencia ocasional de Chocano en aquel esforzado temperamento poético.

Las voces inefables (1915-1916), segunda parte de la obra, revelan la frecuentación de Herrera y Reissig. Oigámoslo:

---

[3] La primera edición es de Guayaquil, 1918. Hay una recopilación, bajo el título de *Poesías escogidas,* hecha por Gonzalo Zaldumbide, quien la prologa, París, 1926, y una nueva recolección prologada por Alejandro Carrión (Quito, Casa de la Cultura Ecuatoriana, *Revista,* vol. VI, núm. 13, 1953). Silva lanzó también una novela titulada *María Jesús,* 1919.

AL ÁNGELUS

    Atravesó la oscura galería...
al Ángelus... llamaban al rosario...
La religiosa voz del campanario
vibraba en la quietud de la Abadía.
En sus manos de nácar oprimía
el viejo Kempis o el Devocionario...
La luz de un aceitoso lampadario
delató su presencia en la crujía...
Se vio palidecer su faz de nardo...
Hablaba de Eloisa y Abelardo
el llanto que la fuente diluía.
Y la Sor que en el mundo fue princesa,
inclinando la pálida cabeza,
atravesó la oscura galería.

Aunque carentes del definitivo remate del soneto de Herrera y Reissig, este soneto y otros, advierten en la distribución de los acentos (en la 4.ª y 6.ª sílabas) la huella del poeta de Montevideo. Cuanto a la "abadía" y la "Sor de manos de nácar" revelan una inspiración de rebote, de segunda mano, de lectura saturada de angustias y alegrías exóticas.

Esos primeros versos del precoz poeta del Guayas son eco de la lucha que en su alma se libraba entre las poderosas influencias de Nervo, Herrera y Reissig y Darío, la primera visible en las alusiones a Kempis y los devocionarios. Los giros chocanescos son frecuentes en los sonetos de *Las voces inefables*, por ejemplo:

"tal una araña que a la luz espacia // las traidoras urdimbres de sus hilos..." (*Crepúsculo de Asia*), "Rugió el lascivo mar, a la manera // de un sátiro de barbas temblorosas" (*Vesper marino*), "y al deshojarse tus palabras era // cual si estuvieran deshojando rosas" (id.). En cambio, Herrera y Reissig se halla de cuerpo presente en otros:

> el mar violento suspiró a su modo...
> lloraron en la niebla las esquilas...
> Y me halló de rodillas al Poniente
> viendo abrirse los astros dulcemente
> en el cielo otoñal de tus pupilas.
>
> *(Vesper marino)*

Los nueve sonetos de "Las voces inefables" ratifican dichas influencias: Medardo Ángel era sólo un adolescente.

La acción de Herrera y Reissig persistirá. Por esos mismos años (1915-1917) Eduardo Zapata López, periodista peruano, publicaba versos en las revistas del Guayas, donde residió, y de Lima (*Lulu, Mundo limeño* y *Sudamérica*): cada soneto de Zapata López (más tarde promotor de boxeo y de juegos de envite) reiteraba su devoción incondicional —y la de sus amigos guayaquileños— al "Pobre corderito ciego" de la "Torre de los panoramas".

Curioso: las "Estancias" de Medardo Ángel, fechadas en 1914, muestran más autonomía y hondura que sus posteriores sonetos de "Las voces inefables". Se trata allí de unos cuartetos alejandrinos, distribuidos de dos en dos, para formar estancias, o sea, 19 estancias divididas en 38 estrofas, más dos estancias (la XX y la XXI) compuestas por sendos cuartetos (en total XXI estancias en 40 cuartetos); de este conjunto, sólo la estancia XVIII ofrece una variante: versos impares de catorce sílabas y los pares eneasílabos agudos. Las "Estancias", además, revelan otras lecturas favoritas de su autor: Juan Ramón Jiménez, Paul Verlaine, Walt Whitman, Albert Samain.

¿Temas de amor? Sí. De amor, y de rosas, y de músicas. Las citas calzan con las de Darío, y, tentación cercana, con los versos de los peruanos José María Eguren y Enrique Bustamante y Ballivian, cuyos libros *Simbólicas* (1909) y *La canción de las figuras* (1916) del primero, y *Elogios* (1911) y *Arias de silencio* (1916) del segundo, eran muy leídos y admirados a lo largo de la costa del Pacífico. Escuchemos "Feulle d'Album", o sea, la "Estancia III":

> *Tienes esa elegancia lánguida y exquisita*
> *de las pálidas vírgenes que pintó Burne Jones,*
> *y así pasas, como una visión prerrafaelita,*
> *por los parques floridos de mis vagas canciones...*
> *Y si el cielo azulado tu mirar extasía,*
> *cuando el Poniente riega sus fantásticas flores;*
> *eres como esos ángeles que, alabando a María,*
> *se ven en los retablos de los viejos pintores.*

Y esto otro, muy de la época, cuando estaba en boga la *Salomé* de Wilde, ilustraba los dibujos de Aubrey Brasdley:

> *De la gasa inconsutil de tu rosa batista*
> *surges vibrante, en una danza de bayaderas.*
> *(Te juro que en la corte del gran Tetrarca hubieras*
> *obtenido la roja cabeza del Bautista).*
>
> (Estancia V)

La Estancia XVII revela a las claras la presencia de Darío, justificando la opinión de Isaac Barrera (*La Literatura del Ecuador*, Buenos Aires, 1947): que Silva y su grupo fueron los "últimos modernistas", de lo que trataremos después. Dice la estrofa:

> *Para los que llevamos como un puñal sutil*
> *dentro del alma una ponzoña;*
> *para los que miramos nuestra ilusión de abril*
> *hecha una mísera carroña;*
> *inútilmente suena tu pandero de histrión,*
> *—¡oh, vida frívola y banal!—*
> *si no es de nuestros labios la divina canción*
> *primaveral y matinal.*

La ruptura del ritmo, la frecuencia de la "l" líquida en los finales, todo ello evoca (y la "carroña" bandelairiana incluso) al Darío de *Cantos de vida y esperanza*, pero con un acento más ingenuo. Silva era confesional e impetuoso, no obstante su invisible freno verlainiano. De ahí que, añadida una infantil jactancia, proclama sus fugas a los paraísos artificiales:

> —¡Qué lejos aquel tímido y dulce adolescente
> de este vicioso pálido, triste de haber pecado!
> —Tomó del árbol malo la flor concupiscente
> y el corazón se ha envenenado.
>
> (Estancia XX)

> Llamé a tu corazón, y no me ha respondido,
> pedí a drogas fatales sus mentiras piadosas:
> ¡En vano! ¡Contra ti, nada puede el olvido:
> he de seguir de esclavo a tus plantas gloriosas!
> Invoqué en mi vigilia la imagen de la Muerte
> y del Werther germano, el recuerdo suicida...
> ¡Y todo inútilmente!... El temor de perderte
> siempre ha podido más que el horror a la vida.
> Bien puedes sonreir y sentirte dichosa:
> el águila a tus plantas se ha vuelto mariposa;
> Dalila le ha cortado a Sansón los cabellos;
> mi alma es un pedestal de tu cuerpo exquisito;
> y las alas que fueron para el vuelo infinito
> como alfombras de plumas están a tus pies bellos.
>
> (Libro de amor, 1915-1917: "El Tiempo", soneto II)

En este soneto se halla todo Medardo Ángel: sus "drogas fatales", "del Werther germano el recuerdo suicida"; "el temor de perderte // siempre ha podido más que mi horror a la vida", la imagen final tan de Herrera y Reissig ("y bajo el raso de tu pie verdugo // puse mi esclavo corazón de alfombra") pero sin su vigor: remate desgarbado, ripioso, en donde se delata la impericia versificante. ¿Descubrimiento literario? Aún, no. Medardo Ángel y su grupo ensayaban las alas. Además, se veían dominados por la embriagadora influencia del Norte inmediato donde Abraham Valdelomar, genial de veras, echaba los cimientos de un arte libre, nacional, exquisito y egocéntrico.

Medardo Ángel Silva no había definido su rumbo, como Ernesto Noboa Camaño, que lo tenía ya resuelto. ¿No lo comprueba acaso el intermitente recuerdo de Nervo (*Al verte, sin pensar se dice Ave María,* escribe Medardo Ángel; y escribe Nervo: *Eras llena de gracia como el Ave María // quien te vio no te pudo ya jamás olvidar*); de Abraham Valdelomar, su modelo en vida (*En nuestra alma, lo mismo que en una estancia desierta, // de polvosas molduras, de raso desteñido // y de espejos que copian una imagen ya muerta,* dice Medardo Ángel; y Valdelomar había escrito algo casi exacto antes en su soneto "La silla que ahora nadie ocupa"; de Rubén: (*Al borde de la vida, sentémonos, oh Mía*), canta Medardo Ángel, y Darío había publicado su "Canto a Mía" en (*Prosas profanas*); de Verlaine (*Vida de la ciudad, el tedio cotidiano, // los dulces sueños muertos y el corazón partido,* ha dicho Silva, y habíase quejado Verlaine: *Il pleut sur la ville // comme il pleut mon coeur*); de Eguren, con quien se advierten claras semejanzas sobre todo entre la "Balada del infante loco" de Medardo Ángel, en donde Carmín aparece como un personaje imaginario, análogo al Juan Volatín "el duende vida-vana" y al "Peregrín, cazador de figuras" del poeta limeño. Las relaciones entre los grupos del Guayas y del Rimac fueron intensas y activas: los unía la tardanza común en ingresar al reino de los paraísos artificiales y el decadentismo literario, que ya había empezado a olvidarse en París. París estaba sacudido entonces por la guerra y su cortejo de nuevas sensaciones patentes en un viraje más humano del Futurismo marinettiano; por el desconchamiento del naciente "Dadá", enarbolado por Tzara en Suiza en ese mismo año de 1916; y por los vagidos del surrealismo, premonizado desde las trincheras por Guillaume Apollinaire.

Luego, si queremos seguir en el rastreo de influencias, nos detendríamos en el vocabulario. Las palabras predilectas de Medardo Ángel serán: *abedules, estrellas, azules, quioscos, jardines, oro, joyas, alfombra, tul, diamante, suspiro, muerte, prin-*

cesa, suave, rasos, rosas, sedas, gloria. Todo un itinerario. Y más y más del Pobre Letián, como en "Reminiscencia siglo XVIII", que invoca a "Pablo Verlaine que se encuentra en los cielos" y llama a éste poeta "apolonida", evocando el epíteto rubeniano de "panida", en el "Responso a Verlaine". Medardo Ángel era, no olvidemos, casi un niño, apenas un adolescente, cuando escribía esto que es toda su obra admirable ya.

Hay en "Suspiria de profundis", versos de 1917 (a los 19 años) unas estrofas tan estremecidas que nadie admitiría en ellas otra presencia que la auténtica y avasalladora de un madurado dolor: irónicamente se titulan "El tesoro":

> Con nuestras propias manos temblorosas
> tejemos nuestro bien y nuestro mal;
> y deshojamos nuestras propias rosas
> como en un juego trágico y banal...
> Y después, al mirar el alma pobre,
> es la angustia y la desesperación
> de ver trocadas en monedas de cobre
> todo el oro de nuestro corazón.

Hay otras dos notas sintomáticas y bellas:

> A los que hemos mirado —en una noche horrenda—
> a nuestra cabecera la faz de la Ignorada
> puesto que comprendimos, se nos cayó la venda
> y tenemos la ciencia de la sonrisa helada.
> Y vimos —presentimos más— la cosa estupenda
> y la niebla en que se hundirá nuestra nada,
> y la noche absoluta en la perdida senda
> sin amores, sin albas, sin fin de la jornada.
>
> (De *El viajero y la sombra*)

Más adelante nos asalta la desgarradora composición titulada "Fin":

> ¡Cuando la noche negra amenaza la tierra
> el buho abre los ojos y la paloma los cierra!

*Así suena mi júbilo su caracol sonoro
con la fragante risa de la mañana de oro
y, en las anubarradas noches de duelo y llanto,
como una alondra tímida enmudece mi canto.*

No: Medardo Ángel Silva estaba trémulo de epifanías, pero no había conquistado aún el Santo Grial. Le aquejaba un romántico dejo de impracticable ausencia y el de una irrestañable angustia, a lágrima callada, puro irse en silencio, a verso tácito, bajo la mordaza de un voluntario renunciamiento. Ensayaba el vuelo, digo, pero, no obstante su potencia, la poesía de Medardo Ángel se había hecho maestra y apostólica. A su contorno *creció* un discreto coro de suspirosos verlainianos y juanramonianos: ellos renovaron la poesía elocuente de su patria. Se encargarían de eliminar la oratoria habitual en la lírica ecuatoriana. No olvidemos: los artistas lo son no sólo por lo que ejecutan, sino también por lo que enseñan a ejecutar. Por su capacidad de sugerir y sugestionar.

Medardo Ángel como otro guayaquileño, ausente prematuro, Joaquín Gallegos Lara logró, pese a su juventud, lo que muchos escritores maduros no habían conseguido. Sin duda —y este criterio es cuasi unánime—, sin él, la poesía ecuatoriana se habría retrasado un cuarto de siglo. Él la puso a tono y la libertó de varios pesados dogales. La hizo ensimismarse, le enseñó el susurro. De estrofa plazolera la volvió poesía de cámara; de civil, civilizada; de ruidosa, melodiosa; de tropiquera y asoleada, crepuscular y otoñosa. No pudo realizarlo todo él mismo, y esa fue su pena, pero mostró el camino.

Un día al salir de casa de la novia, Medardo Ángel Silva en sus veinte, se arrancó la vida, acaso bajo la presión ineludible del legado del otro Silva, el de Elvira, José Asunción de nombre, con Bogotá por cuna.

Ese día, Medardo Ángel empezó de veras a vivir.

Isaac Barreras menciona a Medardo Ángel, como el único guayaquileño en un grupo de poetas ecuatorianos, "últimos" discípulos de Rubén Darío: entre ellos, Arturo Borja (1892-

1912), el trunco autor de *La flauta de Onix* transido de angustias decadentes y de las transmitidas por Verlaine y Rodenbach, angustias que acabaron con él a los veinte años; Ernesto Noboa Camaño (1895-1927), el cual duró algo más, hasta los 32, y a quien conocí en Guayaquil, ya él autor de *Romanza de las horas* (1923) no mucho antes de que concluyera su lento suicidio; Humberto Fierro (1890-1929), superviviente máximo pues alcanzó los 39 años, joven esteta a quien Barrera nos pinta asomado a su balcón, vestido de blanco (Pierrot verlainiano) para contemplar el plenilunio. En realidad, los escritores nuevos de Guayaquil y de Quito en ese tiempo eran la encarnación de un impulso de libertad estética, adversos a la rutina vital y literaria; adherentes a los paraísos artificiales y de la poesía francesa simbolista a través de los modernistas españoles y americanos. A Silva se le unieron, aparte de Noboa Camaño (dilectísimo y suave espíritu) Wenceslao Pareja, hombre contradictorio, que había estudiado Medicina en Lima y se dedicó a "hacer literatura" en París; A. Falconí Villagómez, cantor de "Eponina" ("No es la Eponina huguesca — la de mi historia diablesca... Eponina era fea, Eponina era flaca"); y José María Egas (1893), autor de *Unción*, más bien parnasiano. Yo no creo que esa mocedad ardiente de quehaceres, tibia de legados retóricos, fuese lo que Barrera dice "últimos modernistas". Se me hace que, tal vez, fueron los últimos románticos y los primeros modernistas. Porque si el romanticismo se distingue por el amor a la libertad formal y biológica, por el yo empenachado y a flor de piel, por la confidencia constante, por la busca de imágenes remotas (igual da un cruzado del siglo XII que un marqués versallesco del XVIII para un decadente tropical del siglo XX) éstos fueron los verdaderos románticos ecuatorianos. Gente que tenía a Werther en la cabecera, y mezclaban la blasfemia con la prez ("un Santo Cristo y una pistola") como en el verso de Nervo, otro romántico rezagado. La misma brevedad de sus vidas acusa el sino romántico de los imitadores como ocurrió a Musset, Espronceda, Nerval, Bécquer, no el de los patriarcas longevos (Chateaubriand, Goethe, Lamartine, Hugo) inventores del "clasicismo romántico".

Tan es así que en Jorge Carrera Andrade (1902) y Augusto Arias (1903) secuaces inmediatos de la promoción de Medardo Ángel, se elimina ya casi todo filo romántico, y fluye sin trabas el modernismo, en marcha hacia nuevos logros; futurismo, dadaísmo, estridentismo, ultraísmo, creacionismo, vanguardismo, surrealismo, etc. (Y la etcétera guarda la fórmula del futuro.)

XLV

JORGE LUIS BORGES

(Buenos Aires, 24 agosto 1899)

Probablemente, si a un francés le préguntaran hoy quién es el más grande escritor vivo de América Latina, contestaría sin vacilar: Jorge Luis Borges. Tal vez no ocurriría igual con un italiano, mas, sí, con un inglés. De donde la fama de Jorge Luis Borges descansa sobre un concepto lógico o racionalista de las letras, esto es, de la vida. Aunque las metáforas imperen en su prosa y hayan dejado marcado a fuego su verso, aquel imperio obedece a un acto deliberado, no a una fatalidad. Borges crea recreando y recreándose. El verbo que conjuga es siempre recíproco: da para que le den, recibe para que lo reciban, imagina para que lo imaginen, piensa para que lo piensen, y así produce fábulas atrozmente sorpresivas, pues despistan con su caudal de lógica al más experto.

Sin embargo, no siempre fue así Borges. En ello reside quizá, su más alto mérito. Porque, hijo de casa acomodada, desvalido físicamente a causa de una debilidad visual congénita y una notoria inercia muscular se refugió en la inteligencia y la esgrimió como una espada. Si alguien fue herido, él no se dio cuenta, embelesado en el ejercicio de su libertad de esgrimir más allá del riesgo.

Estudió en Buenos Aires hasta entrada la adolescencia. Poco antes de estallar la Primera Guerra Mundial se encontraba en Suiza. Prosiguió sus estudios de bachillerato en la ciudad de Rousseau y de Calvino. Aquel contacto con la razón razonante fue un impacto imborrable. Precoz, como todo enfermo; videntísimo a causa de su miopía, asistió a las tragedias íntimas de la guerra en un país neutral. Probablemente le ocurriría algo de lo que Ernst Glaeser refiere en su novela *Los que teníamos doce años:* tal vez algún amigo azorado le dijo aquello de "Nuestros padres son la guerra"; pero Borges pertenecía a un país entonces ubérrimo y neutralista. Se entretuvo por consiguiente con el episodio, y con la vida pintoresca de los innumerables desterrados (entre ellos Lenin y Trotski) y sus manifestaciones literarias. Eran éstas, tenían que ser desesperadas, exasperadas, conducentes al dadaísmo con Tristán Tazra (que residía entre Ginebra, Berna y Lausana), al caos lexicográfico de Joyce, entonces profesor de idioma en la Academia Berlitz de Zurich y a los fantasmas de Rilke, Kafka, Dunsany, Chesterton. Los inicios de Borges fueron de lingüista. Su obra transparentará cada vez más la huella de ese terco aprendizaje de adoración a la infinita gloria del vocablo.

Cuando terminó la guerra, Borges pasó a Londres y después a Madrid, otra ciudad neutral, donde la angustia se disfrazaba de curiosidad filológica y, por tanto, desembocaba en esguinces lexicales.

Sus compañeros de entonces serán los promotores de las nuevas escuelas literarias, en especial, el ultraísmo y el creacionismo. Desde luego cultivó la amistad de Vicente Huidobro, el "mago" poeta chileno, y de Rafael Cansinos Assens, tan variado como superficial. Aunque entre Cansinos Assens y su grupo, integrado por Guillermo de Torre y Gerardo Diego, entre otros, y el de Huidobro, se suscitó una violenta oposición. Borges supo caminar a la orilla del conflicto, concediendo a cada cual lo suyo, y adaptando de ambos lo que debía ser su propia sustancia. Borges publicó, pues, su primer poema en una de las revistas ultraístas de ese tiempo, en *Grecia:* se titulaba

"Canción al mar". M. Forcada Cabanellas, escritor español, refugiado en Argentina, transcribe en un libro suyo, una definición de Borges acerca del ultraísmo:

> Reducción de la lírica a su elemento primordial: la metáfora. Tachadura de las frases medianeras, los nexos y los adjetivos inútiles. Abolición de los trabajos ornamentales, el confesionalismo, las prédicas y la nubulosidad rebuscada. Síntesis de dos o más imágenes en una, que ensancha así su facultad de sugerencia. Los poemas ultraístas constan, pues, de una serie de metáforas cada una de las cuales tiene sugestividad propia y compendia una visión inédita de algún fragmento de la vida [1].

En dicho libro, traza Forcada una viva evocación de la generación ultraísta y de la influencia que ejerció en Borges, Girondo, Norab Lange. Por su parte, Ramón Gómez de la Serna nos ha referido algunos pormenores alusivos en dos libros, *Automoribundia* y *Pombo* [2]. El hecho es que la limpieza de imaginación de Borges impresionó a sus colegas españoles: lo testimonia el estudio de Ramón aparecido en la *Revista de Occidente* expreso homenaje al argentino [3]. La peripecia ultraísta española duró poco. Borges retornó a Buenos Aires en 1921. Son los momentos en que un grupo de escritores porteños se reúne en el Café Keller's y sigue las paradójicas lecciones del esquivo y mordaz Macedonio Fernández. Se funda la Revista Oral: participan en ella residentes y visitantes de Buenos Aires, como Huidobro, Girondo, Rojas Paz, Evar Méndez, Bernárdez, Nora Borges, Norh Lange, Molinari, Noé, González

---

[1] Borges, cit. por M. Forcada Cabanellas, *De la vida literaria (Testimonios de una época)*, Rosario (Argentina), Ciencias, 1941, pág. 43.
[2] Gómez de la Serna, *Automoribundia*, Buenos Aires, ed. Sudamericana, 1948.
[3] Gómez de la Serna, ctr. *Revista de Occidente*, núm. X, Madrid, 1924.

Lanuza. Después de una breve aventura revisteril-ultraísta en *Prismas,* Borges funda *Proa,* revista y esfuerzo editorial digno de memoria: durante su primera etapa (1922-23) en cooperación con Macedonio Fernández; durante la segunda (1924-25), con Güiraldes. Bajo el sello de *Proa* aparecerá en 1926 *Don Segundo Sombra.* Este libro define una nueva tendencia en Borges: el neocriollismo o argentinismo transcendental. Para que no quepa duda sobre la nueva definición, la revista en que agrupa a sus amigos se titulará como el poema de José Hernández, *Martín Fierro* (1924-27).

Buenos Aires era en esos momentos una verdadera cosmópolis. Se daban cita allí no sólo gentes de las más diversas procedencias, sino que también antagónicas teorías y escuelas literarias y sociales. Era la cuarta ciudad judía, la tercera o cuarta arábiga, una de las primeras de población española, la segunda ciudad latina del orbe. Sus prensas publicaban diarios en todas las lenguas: castellano, italiano, francés, alemán, inglés, yudish, árabe, polaco. El precio de carnes, cueros y granos alcanzaba cifras altísimas. Ningún poblador de la tierra consumía mayor número de calorías que el argentino. La cultura crecía vertiginosamente. Sus escritores aspiraban a dominar el idioma, mejor dicho, a crear uno distinto, superando el "lunfardo" porteño. Borges escribe un libro titulado jactanciosamente *El idioma de los argentinos* (1928). Buenos Aires discute con Madrid el privilegio de ser "el meridiano intelectual" de América. Para corroborarlo los escritores "martinfierristas" ensayan un tipo de literatura nativista, dentro de moldes novedosos, pagando tributo a Marinetti y Apollinaire, a Tzara y a Bretón. Producto de ello será el criollismo aristocrático de los Borges, los Güiraldes, los Girondo, inspirados directamente por el inexpugnable y penetrante Macedonio Fernández, "padre y maestro mágico" de aquella tentativa.

Borges practica esa escuela en sus primeros libros. Serán en verso [4].

---

[4] Obras de Borges: *Fervor de Buenos Aires* (poesía), B. S. Proa, 1923; *Inquisiciones* (ensayos), B. S., 1925; *Luna de enfrente* (versos)

El primero se titula *Fervor de Buenos Aires* (1923).

Comprueba él que Borges se hallaba entonces bajo la impresión del criollismo arrabalero, en cuanto su temática, y del vanguardismo, en cuanto a su forma, lo que explica su entusiasmo simultáneo por Evaristo Carriego, y Cansinos Assens. No son los versos musicales que todavía resonaban en el ambiente literario, sino unos versos despenachados, absolutamente intelectuales y saturados de metáforas cuya fuente se halla más en la inteligencia que en la sensibilidad.

Lo demuestra, acentuando la frecuentación de Carriego y de Lugones, el poema *Las calles:*

*Las calles de Buenos Aires
ya son la entraña de mi alma.
No las calles enérgicas,
molestadas de prisas y ajetreos,*

B. S. AS., 1926; *El tamaño de mi esperanza* (ensayos), Buenos Aires, 1926; *Indice de la nueva poesía americana*, compilación y prólogo de Alberto Hidalgo, Vicente Huidobro y J. L. Borges, Buenos Aires, 1926; *El idioma de los argentinos* (artículos), Buenos Aires, 1928; *Cuaderno de San Martín* (versos), Buenos Aires, 1929; *Evaristo Carriego* (ensayo), Buenos Aires, 1930; *Discusión* (ensayos), Buenos Aires, 1935; *Historia de la eternidad*, Buenos Aires, 1936; *Antología clásica de la literatura argentina*, en colab. con P. Henríquez Ureña, Buenos Aires, Ateneo, s. a. (1937); *El jardín de senderos que se bifurcan* (cuentos), Buenos Aires, Sur, 1941; *Poemas* (1922-1943), Buenos Aires, Losada, 1943; *Ficciones* (1935-1944), Buenos Aires (cuentos), Buenos Aires, 1944; *El compadrito, su destino, sus barrios, su música*, antología en colaboración con Silvina Bullrich, Buenos Aires, 1945; *Nueva refutación del tiempo* (ensayos), Buenos Aires, 1947; El *aleph* (cuentos), Buenos Aires, 1949; *Aspectos de la literatura gauchesca*, Montevideo, 1950; *Antiguas literaturas germánicas*, México, Breviarios, 1951; *La muerte y la brújula*, Buenos Aires, 1951; *Poemas gauchescos*, prólogo y compilación, México, Fondo de Cultura, 1951; *Otras inquisiciones* (1937-1952), (ensayos), Buenos Aires, 1952; El *Martín Fierro* (en colab.), Buenos Aires, 1953; *Leopoldo Lugones* (en colab. con Betina Edelberg), Buenos Aires, 1958; *Poemas* (1923-1958), Buenos Aires, Losada, 1958; *Antología de la literatura fantástica* (colab. con A. Bioy C. y S. Ocampo), Antología, Buenos Aires, Ateneo, 1940; *Los mejores cuentos policiales*, Buenos Aires, 1943.

> *sino la dulce calle de arrabal
> enternecida de árboles y ocaso...*

Borges dice no estimar sus versos sino como "ejercicios", y en ocasión posterior, 1961, los ha repudiado totalmente. Sin embargo, la reincidencia en escribirlos y reeditarlos hace pensar en que ese repudio tiene mucho de capricho o de "boutade". En todo caso, empezó como versista y acabó como poeta: camino claro. Las expresiones certeras abundan. Se trata de imágenes que zarpan de fuera para anclar dentro. Así, habla de la "navilocuencia" y "la deseable dignidad de estar muerto" (*La Recoleta*); de "nuestra esencial nadería", mecha de felices rememoraciones sus estrofas: "Penumbra de la paloma llamaron los hebreos a la iniciación de la tarde". "Su vana lumbrera de hojas ciegas", su "rudimental existencia" son giros de *El Jardín Botánico*. La composición titulada *La Plaza San Martín*, de su primer libro, dedicada a Macedonio Fernández, contiene una inteligentísima e impresionante sucesión de figuras, de verbos expresivos:

> *En busca de la tarde
> fui apurando en vano las calles.
> Ya estaban los zaguanes entorpecidos de sombra.
> Con fino bruñimiento de caoba
> la tarde toda se había remansado en la plaza,
> serena y sazonada,
> bienhechora y sutil como una lámpara,
> clara como una frente,
> grave como ademán de hombre enlutado.*

Los heptasílabos y los endecasílabos, según consagrado rito retórico, se suceden, exhibiendo hallazgos como el de "la rigidez pueril de la estatua", "el fácil sosiego de los bancos". Por tal camino se enrumba la poesía primicial de Borges, subrayando cuadros locales, como los que también Lugones exalta en *Poemas solariegos*, por ejemplo, el poema *El truco*. En otras estrofas Borges desata su emoción, siempre embridada, aunque galopante:

> La ciudad está en mí como un poema
> que no he logrado detener en palabras.
>
> (*Vanilocuencia*)

> Los muebles de caoba perpetúan
> entre la indecisión del brocado
> su tertulia de siempre.
>
> ("Sala vacía")

> socavan con cataclismos de badajos y gritos
> la altiplanicie de la noche serena.
>
> ("Final de año")

Hay dos poemas de esa época y de ese libro "Rosas" y "El General Quiroga va en coche al muelle", en que Borges utiliza una sencillez tan repleta de regionalismos como de poesía. Podrían citarse pasajes, como éste:

> *Famosamente infame*
> *su nombre fue desolación en las calles,*
> *idolátrico amor en el gauchaje*
> *y horror de puñaladas en la historia.*

Se confiesa en "Arrabal" definitivamente porteño:

> *esta ciudad que yo creí mi pasado*
> *es mi porvenir, mi presente;*
> *los años que he vivido en Europa son ilusorios;*
> *yo he estado siempre (y estaré) en Buenos Aires.*

Versos de 1921, aunque aparezcan reproducidos hasta en 1953. Para 1924 ya ha evolucionado el poeta. Arranca sus tonos de una purísima cepa ultraísta y se adensa con parquedades laforguianas:

*No he recobrado tu cercanía, mi patria, pero ya tengo tus
estrellas.
Lo más lejano del firmamento las dijo y ahora se pierden en su
gracia los mástiles.
Se han desprendido de las altas cornisas como un asombro de
palomas.
Vienen del patio donde el aljibe es una torre inversa entre
dos cielos.* (La promisión en alta mar)

Aunque Borges no sólo ha condenado al olvido su *Cuaderno San Martín* (1929), sino en realidad toda su obra en verso, sería imposible desligar de su prosa estos "ejercicios", donde tan gráficamente despunta su imaginación creadora, su capacidad metafórica. En la prosa tienen una realización cabal.

El primer rasgo característico, punteado ya en el verso, es la proclividad de Borges a lo que alguien ha llamado "la irrealización metafísica". Los cuentos y ensayos de Borges acusan ante todo una curiosa afirmación erudita, el regusto por la exactitud esotérica. Cuenta o inventa hechos desconocidos o inverosímiles, con una puntualidad de cronista de un "fail divers". Mezcla pequeños detalles locales con alambicados acaecimientos no sólo universales, sino de recóndita rareza. Reduce la narración ficticia a teorema de un aparente rigor lógico o de una supuesta severidad científica. Se vale de la ciencia y de la razón para engatusar al lector, haciéndole pasar un contrabando de mentiras e imaginerías, vestidas con la sesudez de un artículo de fe. Este dualismo invención-silogismo, que podría ser este otro: realidad-fantasía, no actuando separadamente sino formando un todo, produce efectos desconcertantes en el lector, alguno de los cuales ha discutido, como verdad incomprobada, una de las "boutades" del autor de *Inquisiciones*. La técnica de Borges, sobre todo a partir de *El jardín de senderos que se bifurcan,* consiste en presentar como un hecho exhaustivamente investigado, lo que, en verdad, constituye un fruto de su imaginación. Amontonando datos puntualísimos, citando libros que efectivamente han sido publicados junto a otros que nunca salieron sino de la ocurrencia del narrador, da una sensación de severidad, cuyo aparato se desmorona convirtiéndose en sonrisa al advertir que todo ello brota del genio literario, es una creación total de Borges. Esta actitud y este sistema se han venido acentuando sobre todo desde que la vista física le fue mermando al punto de hallarse hoy prácticamente ciego. Como una compensación natural, se refugia en ese tipo de relatos y en ese soporte ficticio de hechos recónditos, sacados de la inagotable cantera de su erudición en fantasmas y hazañas nunca acaecidas. En sucesos nunca acaecidos, pero en lecturas, sí, muy acaecidas, por ejemplo Hoffmann y Poe, entre los clásicos, Lord Dunsany, Virginia Wools y Kafka, entre los contemporáneos. Quizá la mayor contribución —si se pudiera hablar de contribuciones en lo referente a literatura—, hecha por Borges consista en una curiosa y singular simbiosis de cosmopolitismo, estraterrismo y criolledad. Cierto que esta mixtura se da también en Macedonio Fernández y transciende a varios de los elementos aleatorios, más o menos conspicuos, del grupo "Martín Fierro" y sus secuencias, como, por ejemplo, a Raúl Scalanbrini Ortiz y, desde luego, mayor que todos, salvo Macedonio, a Güiraldes, y llega a prolongarse en personajes de diversa extracción intelectual, como Alberto Gerchunof. Pero es en Borges en quien cada uno de estos factores adquiere personalidad propia y, sin embargo, se confunde con los otros, Eduardo Mallea tratará de realizar proeza análoga, más le faltan la fantasía borgesiana, la precisión matemática del estilo y el "sense of humour". Mallea da una prosa apasionada y densa, en la que la realidad se recubre de fantasía, al revés de Borges, en quien la fantasía se disfraza de realidad. Para dar una idea de la dualidad borgesiana en cuanto a inspiración, y de su invariable e implacable rigor matemático, podríamos ofrecer dos pasajes diferentes y hasta antagónicos: He aquí uno de fingido coloquialismo, raro en Borges:

>La caña, la milonga, el hembraje, una condescendiente mala palabra de boca de Rosendo, una palma-

> da suya en el montón que yo trataba de sentir como una amistá: la cosa es que yo estaba lo más feliz. Me tocó una compañera muy seguidora, que iba como adivinándome la intención. El tango hacía su voluntá con nosotros y nos arriaba y nos perdía y nos ordenaba y nos volvía a encontrar. En esa diversión estaban los hombres, lo mismo que en un sueño, cuando de golpe me pareció crecida la música, y era que ya se entreveraba con ella la de los guitarreros del coche cada vez más cercano. Después, la risa que la trajo tiró por otro lado y volvía a atender a mi cuerpo y al de mi compañera y a las conversiones del baile. Al rato largo llamaron a la puerta con autoridá, un golpe y una voz. En seguida un silencio general, una pechada poderosa en la puerta y el hombre estaba adentro. El hombre era parecido a la voz [5].

Si se analiza este fragmento se encontrarán en él todos los elementos del "primer-Borges", la criolledad, el vocabulario porteño, la alteración de algunas grafías (como la supresión de la "d" final en ciertas palabras, para darles aire popular), el ritmo ascendente del relato, su concisión y su metaforismo. La expresión "llamaron a la puerta con autoridá, un golpe y una voz", aparte de su belleza y vigor, es la antesala natural de la otra que encierra magnífica fuerza: "el hombre era parecido a la voz". Ni que decir de la sintética y viviente "narración" del tango. Borges hace ver lo que él ve o entrevé. La prosa se produce como un movimiento respiratorio, naturalmente: aunque bien sabemos ¡cuán difícil es aprender a respirar!

Comparemos este trozo con otro del "segundo-Borges", el de *El Aleph:*

---

[5] Este fragmento está reproducido por Ángel Flórez, en su *Historia y antología del cuento y la novela en Hispanoamérica*, New York, Las Américas, 1959, págs. 488 y sigs.

Las noches del desierto pueden ser frías, pero aquélla había sido un fuego.

Soñé que un río de Tesalia (a cuyas aguas no había restituido un pez de oro) venía a rescatarme; sobre la roja arena y la negra piedra yo lo oía acercarse; la frescura del aire y el rumor atareado de la lluvia me despertaron. Corrí desnudo a recibirla. Declinaba la noche; bajo las nubes amarillas la tribu, no menos dichosa que yo se ofrecía a los vividos aguaceros en una especie de éxtasis. Parecían coribantes a quienes posee la divinidad. Argos, puestos los ojos en la esfera, gemía; raudales le rodaban por la cara; no sólo de agua sino (después lo supe) de lágrimas... [6].

La diferencia entre ambas prosas podría hacer sospechar la presencia de autores diversos, si se omitieran unos cuantos hechos: el ritmo, la precisión, el adjetivo siempre figurativo, el tropo vigilante, el verbo animador, la sustitución directa de lo real u objetivo por lo imaginario o subjetivo, la atmósfera de ensueño o misterio que se desliza en las frases, constituyendo una malla de peculiaridades sintéticas y de sorprendentes espejismos.

Borges ha evolucionado, partiendo de sus primeras apetencias, para después de un rodeo exótico volver enriquecido a ellas. No se piense que empezó como criollista europeizado o *malgré lui*. Sería una apreciación famélica. Ocurre que, hijo de casa rica, su juventud se vio signada por la constante aventura exotista. Su educación en Suiza, su ahincado perfeccionamiento del inglés en Cambridge, sus viajes por los países latinos y nórdicos de Europa, le dieron la oportunidad de convertirse en un sustancioso y exacto traductor de las primitivas literaturas germánicas, tanto como de Kafka, del norteamericano Melville y de Virginia Woolf.

---

[6] Borges, *El aleph*, ed. cit., págs. 17-18.

Primitivamente, cuando regresa a la Argentina en 1921, su primer cuidado será el de revalidar su título de profesor de inglés. En un libro muy posterior (*Antiguas literaturas germánicas*) escribirá esto:

> Se olvida que Inglaterra produjo, antes de la conquista normanda, una secular y dilatada literatura; se ignora que en Islandia culminó la literatura germánica... Tarde o temprano los historiadores de la novela habrán de reconocer la importancia de la *saga*. Alguna vez se escribirá la historia de la metáfora, y se comprobará que ciertos excesos del siglo XVII y del siglo XX tuvieron anticipación en Islandia [7].

Aunque estas líneas lleven como firma las iniciales "J. L. B." y "D. I.", es decir, Jorge Luis Borges y Delia Ingenieros, está claro que ellas pertenecen a lo más hondo del pensamiento y la sensibilidad del autor de *Luna de enfrente*, y que ahí se puede hallar el germen de sus fantasmagorías, tan aparentemente lógicas, al extremo de confundir a algunos críticos que dan por ciertas las invenciones borgesianas. Cuando Anderson Imbert, refiriéndose a la lucidez y el lirismo de Borges, habla de una especie de "locura nueva", y menciona como difíciles de superar algunos cuentos (*Tlön, Uqbar, Orbis, Tertius* y *Funes, el memorioso*), añade una acotación final, sumamente sugestiva y cierta: "Su pasión por el juego nos poetiza problemas de crítica, de gnoseología y metafísica. *Es un escritor para escritores* [8].

La última expresión vale mucho. En realidad, el lector común no aquilata las excelencias de Borges en su temario y expresión; es el escritor entendido, el *clero*, el que lo paladea, entiende, repite, propaga y exalta. De ahí la boga de Borges entre los círculos literarios europeos y norteamericanos de reciente data. Pero, a despecho de ello, por encima de ello, con

---

[7] Borges, *Antiguas literaturas germánicas*, cit., págs. 7-8.
[8] Anderson Imbert, *Historia de la literatura hispanoamericana*, ed. cit., págs. 322-324.

ello o sin ello, su actitud literaria es una de las más altas, inexpugnables e impopulares de cuantas han existido en nuestra literatura, de las menos barrocas y de las más alambicadas, acaso de una complicación tal que no tiene otro desfogue que el ardid —ardid lúdico— de una simplicidad difícilmente adquirida e imposible de desatender y admirar: la simplicidad del clásico, y José Luis Borges lo es ya [9].

[9] Sobre Borges: Ana María Barrenechea, *La expresión de la irrealidad en la obra de Jorge Luis Borges*, México, Colegio, 1957; C. Fernández Moreno, *Esquema de Borges*, Buenos Aires, Perrot, 1957; J. L. Ríos Padrón, *Jorge Luis Borges*, Buenos Aires, La Mandrágora, 1955; M. Tamayo y A. Ruiz Díaz, *Borges: enigma y clave*, Buenos Aires, Nuestro Tiempo, 1955; Anderson Imbert, *ob. cit.*; Ángel Flores, *ob. cit.* (Unión Panamericana), *Diccionario de literatura hispanoamericana: Argentina*, II parte, ed. cit.; M. Enguídamos, *Imaginación y evasión en los cuentos de J. L. Borges*, Madrid, Palma de Mallorca, 1958; L. E. Soto, *Historia de la lit. argentina*, dirigida por Rafael Arreita, Buenos Aires, Penser, 1958-1959, tomo IV, pág. 399, etc. M. Forcada Cabanellas, *ob. cit.*

XLVI

JAIME TORRES BODET

(México D. F., 7 abril 1902)

> Todo mi esfuerzo de hombre de letras ha consistido también en llegar al reverso de los asuntos por aproximaciones imperceptibles, como si el conocimiento de las cosas fuese tan sólo el papel opaco bajo el cual yace —cifrada para los otros— una calcomanía, reveladora para mí [1].

Estas palabras realmente instructivas traslucen el fondo de la actitud literaria de Torres Bodet, a través de sus propios criterios y apetencias; habría que cotejar éstas con los hechos mismos. De estos resultarían algunas variantes, más, de modo general, aparecería clara la voluntad de rodeo y, a veces, de sondeo, que caracteriza el estilo de uno de los escritores mexicanos más propagados (no divulgados).

Jaime Torres Bodet nació en México el 7 de abril de 1902. Sus primeros años, en lo que encierran de mensaje íntimo, están descritos en el volumen autobiográfico *Tiempo de arena*: de él también se desprende su morosa delectación por la prosa de

---

[1] J. Torres Bodet, *Tiempo de arena*, México, Fondo de Cultura, 1955, pág. 14.

Gide y Proust, así como sus irrenunciables resabios de prolongada ternura. No en vano el libro en que nos refiere estas remembranzas empieza con una frase amarga: "Mi primer recuerdo es el de una muerte: la de mi tío". Y agrega: "acaso la más visible (consecuencia) sea la morosidad con que van desprendiendo mis frases —de la porosa memoria— la calcomanía de estos recuerdos".

De la vida exterior de Torres Bodet sabemos lo necesario para no darnos cuenta de sus calidades de escritor. Aunque él nos hable de una niñez mimada por fuera, pero roída de extrañas dubitaciones por dentro, la verdad visible es que no encontró muchos obstáculos para su desarrollo. Los recuerdos de la Revolución Mexicana, que perturbaron su niñez, se transforman como reacción inevitable en cierta repugnancia por lo que podría denominarse provisoriamente "a la acción directa de las masas". El muchacho, que a los ocho años asiste, aunque fuera de lejos, al estallido de la Revolución, y llega a los dieciocho con ella a cuestas, rozándole, agobiándole y enardeciéndole, debía, en una alternativa irremediable, convertirse en un hombre de presa o en un contemplativo. Lo admirable es que tomó de ambas actitudes lo mejor, y si no se ha definido enteramente como lo uno y como lo otro, definición donde habría hallado tal vez un temple más denso e incisivo, ese participar de esto y aquello cuajaron en el hombre de empresa al par que soñador, en el creador-crítico, en el intelectual absoluto que tipifica al autor de *Proserpina rescatada*.

Torres Bodet estudió en la Universidad de México. Cuando no había aún dejado de ser un adolescente, se adhirió al grupo encabezado por José Vasconcelos, grupo nacido de lo más fragoroso de la Revolución, pero que reaccionó frente a ella con un voto de consagración total a la cultura. Secretario del ilustre ensayista, que acuñó para la Universidad primada de su país el lema "Por mi raza hablará el espíritu", y creó la Secretaría de Educación Pública, Torres Bodet, al cumplir la mayoría de edad se ligó con personajes de profundo significado e inescapable influencia, huéspedes entonces de México: Gabriela Mistral, Julio R. Barcos, Porfirio Barba Jacob (de quien Torres Bodet hace una semblanza apasionante), Salomón de la Selva, el joven Víctor Raúl Haya de la Torre. Entre sus antecesores inmediatos frecuentó a Othon, a Enrique González Martínez, a José Juan Tablada, a Ramón López Velarde, a Antonio Caso y Alfonso Reyes. Entre los miembros de su generación, años más años menos, es explicita la coincidencia con Carlos Pellicer, Salvador Novo, Xavier Villaurrutia, Enrique González Rojo, Gilberto Owen, José Gorostiza, Bernardo Ortiz de Montellanos. El novel poeta, ya con una colección de versos bajo el brazo, se dedicaba más a la lectura libre que al estudio oficial. Pronto alternó sus ocupaciones burocráticas en Educación con las inquietudes por la Diplomacia, como el único modo de escapar al cerco regional. Hizo su primera salida al extranjero, y, desde entonces, empezó a ver realizarse en su propia existencia, los ensueños y aventuras de Simbad, una de sus narraciones infantiles predilectas tanto como las de Julio Verne.

Torres Bodet ha tenido una vida activa, más activa que la de ningún escritor mexicano de su tiempo: de Secretario de Legación en Madrid y París, llegó a ser Embajador en Francia, hasta 1959. En los entretiempos desempeñaba funciones de Ministro de Educación Pública, en varias etapas y a despecho de los cambios de gobierno, Ministro de Relaciones Exteriores y Director General de la Unesco. Posiblemente ningún intelectual americano disfrutó de mayores oportunidades para ponerse en contacto con las grandes figuras y corrientes culturales del mundo. Nada de ello estorbó su producción literaria. Al contrario, le sirvieron de estímulo. Y así le vemos evolucionar con seguridad y destreza desde sus poemas iniciales de *La casa* y *Nuevas canciones* (1923) hasta los ceñidos poemas de *Sin tregua* (1951); y de la prosa poemática de *Margarita de Niebla* (1928) a las buidas de *Maestros venecianos* (1961). Como en todo escritor que se dedica a su sacerdocio, la transformación tiende a podar de inútiles ramas el esbelto y alisado tronco del argentado álamo. El que empezó contagiado de la inevitable embriaguez sonora del modernismo, que fue siempre reflejo de juventud, se reclina *pensieroso* a meditar y decantar, suprimiendo sin piedad lo ornamental y lujurioso, dentro de una creadora sensualidad de artista auténtico. Cuando uno compara los duplicados esguinces verbales de *Proserpina rescatada* con la austera concisión del *Balzac* advierte mejor lo que Darío llamaba "la obra de las horas". Torres Bodet no emplea coloridos violentos; se nutre de matices; no se expresa de otra manera. Aunque ya no modernista ni simbolista, sino más bien expresionista, si fuese indispensable adjudicar un ismo a todo escritor, se mantiene fiel al consejo verlainiano: "Pas de la couleur, tout de la nuance". Tal vez, de ahí el origen del título *Tiempo de arena* para su autobiografía: arena de clepsidra, isócrona y fatal, o arena por lo gris e indefinible, vestido y color de lo infinito. La conciencia del escritor vigila, queriéndolo o no, tales cambios. Cuando se trata de reunir sus *Obras escogidas* (1961) sólo fechará las composiciones entresacadas de sus libros hasta 1930, dejando las otras en olor de intemporalidad, o sea, a su gusto presente; y en cuanto a las prosas, suprime de un tajo los dos primeros libros, escritos bajo la égida de Joyce y Proust, lenta y deleitosamente, paladeando los vocablos, deglutiendo los especiosos verbos, desplegando el adjetivo como polícroma cola de faisán, lo que cederá el paso a la jugosa brevedad del estilo adulto posterior a 1930.

Los primeros libros de Torres Bodet fueron escritos en verso. Un verso aterido de musicalidad. No se olvide la edad del poeta: al publicarse esos libros cumple los veintiuno, pero cuando los escribe, según propia confesión, oscila entre los dieciocho y los veinte. Es el tiempo en que fallece antes de hora López Velarde, y alcanza todo su esplendor el prestigio de *Zozobra* y *Suave patria*[2]. Es también la época de la transformación cultural de Vasconcelos. México pretende encarar su Revolución desde otros ángulos que no fuesen la lucha armada. Han caído, víctimas de su trágico destino, cruentamente eliminados, los factores de la Revolución: Francisco I Madero, el

---

[2] Cfr. Cap. sobre Ramón López Velarde, en este mismo volumen.

precursor; Emiliano Zapata, el iluso agrarista; Francisco Villa, el "bandolero divino", que cantó Chocano; Venustiano Carranza, el padre de la resistencia a la contrarrevolución de Huerta. La "intelligentzia" mexicana se orienta por nuevas rutas. Para saldar toda cuenta con el pasado figurativo y sangriento busca otros senderos, se hace "escapista", es decir, se embriaga de fantasías, quién sabe si para sobreponerse a los recientes horrores de la guerra civil. Corren parejas el nacionalismo y el evadismo. Eco de ellos será *México canta en la ronda de mis canciones de amor:*

> *México está en mis canciones,*
> *México dulce y cruel,*
> *que acendra los corazones*
> *en finas gotas de miel.*
>
> *(Nuevas canciones)*

Sobra el ritmo entre juguetón y marcial. Se advierte la adolescencia del autor, es todavía el rubendariísmo devorador. Así continúa por años. Como debe ser [3].

Las lecturas han ido imprimiendo su peculiar e intransferible sello en la mente del joven poeta. Se advierte sin esfuerzo el rastro de Juan Ramón, de Machado, aun de Villaespesa, aparte del agarre de Othon, Nervo, González Martínez y López Velarde, los grandes mexicanos de la hora, y *last but*

---

[3] Obras en VERSO de Torres Bodet: *Nuevas canciones*, Madrid, Calleja, 1923; *La casa*, México, Herrero, 1923; *Los días*, México, Herrero, 1923; *Poemas*, México, Herrero, 1924; *Biombo*, México, 1925; *Destierro*, París, 1930; *Sonetos*, 1949; *Fronteras*, México, Tezontle, 1954; *Sin tregua*, México, Tezontle, 1957; *Trébol de cuatro hojas*, México, 1958; *Obras escogidas*, México, Letras Mexicanas, 1961; en PROSA: *Margarita de Niebla*, México, 1928; *Proserpina rescatada*, 1930; *Tres inventores de realidad*, México, Imp. Universitaria, 1955; *Balzac*, México, Breviarios, 1959; *Tiempo de arena*, México, Letras, 1955; *Maestros venecianos*, México, Porrúa, 1961; *Obras escogidas*, México, Letras Mexicanas, 1961.
Omitimos las obras sobre materias pedagógicas y diplomáticas.

not least, el de Albert Samain y Jules Laforgue, a quienes Torres Bodet leía de corrido, a causa de la sólida educación en lengua francesa que recibiera prácticamente desde la cuna. Bastará citar el arranque de dos composiciones, siempre del volumen *Nuevas canciones*:

> *Ahora que la tarde pasa,*
> *soñemos en la que nos quiere;*
> *ahora que la tarde muere*
> *en el silencio de la casa.*
>
> *(Ahora)*

o también:

> *Por el caminito*
> *de la tarde clara,*
> *con las manos juntas*
> *vámonos, amada.*

En *Los días*, aparece un poeta más coloquial, más directo, desprovisto de innecesarios abalorios. Se deleita en suprimir excrecencias verbales, nexos prescindibles: Sus temas son los de la vida cotidiana, como en Francis Jammes y François Coppée, o como en López Velarde:

> *Yo no he sentido nunca esta delicia*
> *de las parejas pobres*
> *que se paran a ver en los cristales*
> *de los aparadores,*
> *en las tardes del sábado, unas joyas*
> *baratas y unas cuentas de colores.*
>
> *(Sábado)*

El poeta se ha franciscanizado. Usa el ritmo preferido de Bécquer (y de Fray Luis), pero su destreza al emplear las preposiciones, en este caso "en", no ha llegado aún a la perfección que enarbolará años después.

La nota elegíaca, de sutil lirismo se acentuará en adelante. Irá perdiendo los elementos más vistosos, más decorativos. Mezclará las sensaciones, impresiones y sugestiones, en tropos de limpia elegancia, de discreta armonía:

> *Desde que están en el parque*
> *los novios, parece abril*
> *por lo delgado del viento*
> *en las ramas del jardín.*
> *Desde que los has sentido*
> *eres, corazón, feliz,*
> *¡como si fueras tú el novio*
> *y brillara el sol por ti!*

(*Engaño en poemas*, p. 181)

Ahora se halla en el camino de la poesía decantada, en la de Juan Ramón, Antonio y Federico, manejando un castellano transparente, unas imágenes limpias y finas.

De allí a *Cripta* y *Sonetos* (1949) la parábola es perfecta. En el segundo, coincide con la trayectoria de los neogongorinos de Madrid, al par que sometido a una gimnasia sincretista análoga a la de Paul Valéry, sólo que una evidente melancolía ha reemplazado la alegría de ayer. Males del alma y del cuerpo, que acucian al poeta en ese 1949, año de *Sonetos*: así en *Reloj* esculpe esta elegía en catorce versos:

> *Lo que con ruedas invisibles pasa*
> *y con saetas silenciosas hiero*
> *no es el tiempo, reloj, que el minutero*
> *ciñe al circuito de tu pista escasa.*
>
> *El tiempo no se va. Queda la casa*
> *y perdura el jardín... Hasta el lucero*
> *que me enseña a vivir de lo que muero*
> *se nutre del incendio en que se abrasa.*

> *Mientras tanto, los días y las horas*
> *giran en tu cuadrante, sin sentido,*
> *buscando inútilmente esa presencia*
>
> *que sólo advierto en mí cuando me ignoras;*
> *pues con tus pasos, tiempo, lo que mido*
> *no es tu premura, sino mi impaciencia.*

Hay otros sonetos, como *Fuente, Lucidez* (amarga y luminosa canción, que concluye diciendo: "en que sin lucidez, la luz no es nada"); *Muerte, Agonía*, que deberán figurar entre los mejores sonetos del idioma, de puro decantados, severos y ricos, afirmativos en su terrible tristeza, en su aciaga veracidad. Uno de ellos, referido sin duda a situación personal, pasajera pero de todos modos hiriente, dice:

> *Un ciego oye la luz y en el color toca*
> *—en mí— cuando, al cerrar los ojos lentos,*
> *dejo que sólo vivan los momentos*
> *que nacen del contacto de tu boca...*

Llega así a *Sin tregua* donde, a pesar de la pertinacia de la combinación de heptasílabos y endecasílabos, se mantiene Torres Bodet dentro de los cada vez más estrechos y exigentes linderos de una poesía que empieza a ser críptica, a fuerza de suprimir lo accesorio y quedarse desnuda y transparente, apegada al símbolo rector en torno del cual gira cada poema. Se ha cubierto de ceniza el vate. Apela a alegorías bíblicas que son las más presagiosas y sitibundas, las más tristes. Se ha llegado al fin al borde del misterio, que es cuando la vida despega de muchas esperanzas:

> *La tierra prometida está en nosotros.*
> *Mientras la codiciamos, existimos.*
> *Y, cuando la ganamos, la perdemos.*
>
> (*En el lindero*, en *Sin tregua*, p. 102)

El prosista no va a la zaga del verseador. Su evolución sigue el mismo compás. Pierde excrecencias para ganar esencias, se vuelve más lúcida —y crítica—, menos lírica, más metafórica o imaginera. Las imágenes de *Margarita de Niebla*, novela poema, construida dentro de los vigentes cánones de entonces, a que se sometían tanto Benjamín Jarnés (*El profesor inútil*) como Xavier Villaurrutia (*Dama de corazones*), tanto Antonio Espina (*Vísperas de gozo*), como Gilberto Owen (*Novela como nube*), todo ello colindante o proveniente de *Ulises* y *Los cuadernos de Malte Laurid Brigge* y de *El camino de Swann* y *Los cuentos del Buen Dios*, estos últimos de Rainer Maria Rilke, entonces revelados al francés por Edmond Jaloux.

La generación de Torres Bodet constituyó un grupo que tuvo una revista: *Contemporáneos*. Corresponde al de *Martín Fierro* y *Proa*, en Buenos Aires, en distinto modo, pero con ciertas coincidencias, al de *Amauta* de Lima, al de la *Revista de avance* de La Habana a lo que sería *Sur* poco más tarde. El grupo de *Contemporáneos* tuvo en 1927 la fugaz revista *Ulises* cuyo solo rótulo evoca la señera obra de Joyce, a quien tuvieron por uno de sus mentores los de la generación de Torres Bodet. De ahí el *tempo lentissimo* de la prosa en la apariencia, pero la vertiginosidad de las figuras. Todo ello evoluciona hacia el logro *Tiempo de arena*. Dejando de lado el núcleo autobiográfico del libro, llama la atención lo certero de cada expresión; seleccionemos algunas: "Bajo nuestro cielo de luz abstracta, que limpiamente articula el sol cada párrafo arquitectónico" (p. 74). "En qué imprevisto ejemplar había querido la vida enseñarme a leer ese texto eterno: la graciosa inconstancia de la mujer" (p. 88), "Eran suyos esos anteojos inteligentes, cuyos cristales servían de aduana al pesimismo alegre de las pupilas" (p. 98), "Enfermera sin impaciencia, la paz iba pronto a arrancar a ese rostro desconocido —el de la Francia de entonces— las vendas con que la guerra lo había disimulado" (p. 103). Podríamos multiplicar los ejemplos.

La prosa de Torres Bodet no abandona su congénito acento poético.

Un acento poético medido, imaginado, intelectivo. Cuando él nos refiere su procedimiento de composición, en largos paseos solitarios, nos presenta el esqueleto de su obra: meditativa, deliberada, con esa inspiración *au ralenti* que fue la característica de Valéry y de Saint-John-Perse, de Elliot y de Joyce, de Proust y de Gide, a quienes Torres Bodet y su grupo rindieron pleitesía sin reservas. No obstante, o por eso mismo, a menudo salpican esa prosa apretada y tensa, fulgurantes campos de ironía. El escritor juega, un poco *homo ludens* de la literatura. Pero ¿es que no había quedado él con su generación en que, conforme al anunciado de Jean Epstein, "la poesía es un estado de inteligencia"? [4]. Siéndolo, no cabe duda de que la poesía —en prosa o verso— ha de tomarse algunas vacaciones de humor, y así tenemos, como el mejor fruto de tal solazamiento, las páginas del *Balzac*. ¡Qué diferencia con aquel buido y atezado *Avec Balzac* de Alain! El de Torres Bodet narra, describe y comenta, en tono novelesco. Siendo novelesco, debe contener ironía. Ello explica el tono ligero, casi en broma de muchas de las páginas del mencionado libro de Torres Bodet: citemos algunos párrafos:

> En 1841, cinco años después de la desaparición de Laura de Berny, el conde Hanski murió. Balzac y "la extrangera" podían finalmente unir sus destinos. Por lo menos, así lo piensa Balzac. "La extrangera" parece menos apresurada. En 1843, para persuadirla Honorato irá a San Petersburgo. Otro viaje. Y otro regreso a París, a donde llega con el invierno. Su salud flaquea por todas partes. Vivió —ha dicho alguien— de cincuenta mil tazas de café. Y murió de ellas. El doctor Naoquard tiene que cuidarlo de una aracnitis. Pero *La comedia humana* no se interrumpe, ni se interrumpe tampoco su inagotable correspondencia con "la extrangera". Va a visitarla en Dresden, en agosto

---

[4] Jean Epstein, *La poesía, nuevo estado de inteligencia*, trad. Buenos Aires, Gleizer, 1926.

de 1845. Pasea con ella por Italia. La instala en París, de incógnito, por espacio de unas semanas. Esto último encoleriza a Madame de Brugnol medio incubina y medio ama de llaves del novelista. Tal señora cuya partícula nobiliaria era tan artificial y tan discutible como la usurpada por Honorato, se llamaba realmente Luisa Breugnot. Obligó a Balzac a comprarle y a muy buen precio, algunas cartas de la señora Hanski caídas entre sus manos [5].

El párrafo es delicioso como todo el libro. Torres Bodet juguetea con un tema largamente concebido y acariciado. Penetra en el personaje y se sale de él para abandonarle a su propia suerte y hacerle sentir entonces el valor de la piedad. De esa piedad que según él constituye no sólo "la más fecunda virtud del alma, sino la más genuina demostración de la inteligencia". A fuerza de creerlo y de pensarlo, Torres Bodet llega a una expresión de elocuente enseñanza y concisión:

> Comprendemos de pronto qué fuerzas se hallan a merced de los escritores, cuando éstos ya no se asustan de parecer vulgares a los críticos exquisitos (p. 111).

A Torres Bodet no le asusta ya esto aunque no lo practique por innata incapacidad para ser vulgar. De toda suerte lo sabe y se previene. De nuevo, como en el caso de Borges aunque por distinta vía nos hallamos en el camino con un clásico no ya en agraz, sino realizándose. Tenía que ser así [6].

---

[5] Torres Bodet, *Balzac*, ed. cit., pág. 65.
[6] Sobre Torres Bodet: J. L. Martínez, *Literatura mexicana siglo XX*, México, Robredo, 2 vols., 1949 y 1950; Julio Jiménez Rueda, *La literatura mexicana*, México, 1.ª ed., Porrúa, 1928 (hay ed. de 1946).

XLVII

PABLO NERUDA

(Parral, Chile, 12 julio 1904)

Si a Neftalí Ricardo Reyes, silencioso y voluntarioso aspirante a profesor de francés, le hubieran dicho en 1920 que pasaría a la posteridad con nombre ajeno al suyo, habría hecho una mueca de incredulidad; pero así ha sido. Si a Pablo Neruda, autor de *Crepusculario* y *Veinte poemas de amor y una canción desesperada,* libros de exaltado erotismo, le hubieran vaticinado en 1924 que su fama sería la de poeta revolucionario de forma y tema, no la habría aceptado; pero así ha sido. Si al retorcido poeta ya revolucionario de forma y tema le hubiesen anunciado que rompería con lo externo de su estilo, y de cantar a los hombres, sus alegrías y sus penas, pasaría a interpretar el quejido de la rama, el siseo de la cebolla y el respirar del nabo, hubiese roto a reir, pero así ha sido. Todo ha sido y es, por tanto, en la vida y la obra de este jocundo y al par huraño poeta chileno, al socaire de lo previsible, al revés de lo propuesto y en revancha de lo no ocurrido. La realidad se ha encargado de saturar de insoliteces la carrera menos sobresaltada, el rostro menos inquieto, la voz más uniforme y el ademán menos hirsuto de cuantos acompañan la figura tangible de un poeta "residente en la tierra" y, sin embargo, en constante evasión de ella. Neruda tenía que ser como es.

He visitado su ciudad nativa, y he recorrido, *illo tempore*, parte de su país con él, subiendo a los mismos escenarios, bebiendo en las mismas cantinas, sucediéndonos en las mismas tribunas, recorriendo las mismas salas, acompañando los mismos funerales y demandando ayuda para las mismas causas, excepto la del comunismo que nunca entró en mis predilecciones ni mis inquietudes. Creo saber, por todo eso, cuánto hay de fábula y de certeza en la persona y el verso del hombre y el poeta. He aprendido a admirarlo y deplorarlo, a amarle y despreciarle, como siempre ocurre con toda criatura que también lo es Pablo Neruda. Mi juicio no será, por consiguiente, objetivo ni neutral. A veces me ciega la antigua compaña, más a menudo el antagonismo; parece que también está en una natural consecuencia de toda vida plenamente soportada y conducida.

Nació Neftalí Ricardo Reyes Basoalto, de un modesto trabajador ferroviario, José del Carmen Reyes, y de una apacible mujer, Rosa Basoalto, ambos radicados en "la frontera" chilena, donde empieza la Araucania, y donde todavía hay uno que otro indio mapuche, listo a dejarse retratar, para orgullo de turistas, bien "con sonrisa" o bien "sin sonrisa", según la tarifa del fotógrafo. Lugar frío y áspero, azotado de vientos y tiznado del hollín de las locomotoras. Ahí, en Parral, nació Reyes Basoalto, el 12 de julio de 1904. Su madre, enferma de tuberculosis, dejó al niño a los pocos meses de edad. Le quedó el padre, demasiado metido en su humilde trabajo cotidiano. El niño creció un poco hosco. De ello ha conservado el gruñido ancestral y la afición al "trago" largo y fuerte. Así serían los jabalíes si alcanzaran condición humana.

Este jabalí sureño despuntó en las letras a los 14 años, como colaborador de *La Mañana* de Temuco. Un año después, sostenía dos publicaciones literarias, *Selva Austral* y *Atenea*, también en dicha ciudad. El mismo año de 1919 obtiene un tercer premio en los Juegos Florales del Maule. En 1920, cumplidos los dieciséis, llega a Santiago, a matricularse en el Instituto Pedagógico para ser Profesor de francés, carrera que sigue hasta el tercer año; se emplea como maestro en el famoso Liceo Federico Hansen y frecuenta la batalladora Federación de Estudiantes de los Carlos Vicuña Fuentes, Santiago Labarca, Daniel Schweitzer, Domingo Gómez Rojas, Eugenio González, Óscar Schnake, José Santos González Vera y el membrudo, gruñón y taciturno (no estudiante, pero sí contertulio) Manuel Rojas, de los cuales todos, salvo Schnake y Schweitzer, serán escritores. Es ahí donde bebe las primeras inquietudes políticas y sociales de Chile y de Perú, pues es ahí y entonces cuando el estudiante peruano V. R. Haya de la Torre despierta y hace despertar a sus compañeros de generación a la vocación apostólica y social.

El joven Reyes Basoalto habita en un modesto cuartucho de la calle Maruri, donde escribe su primer libro *Crepusculario*: epifanía perfecta. No había nacido ningún poeta en Chile con profundidad y angustia tan precoces y sin embargo maduras. Al mismo tiempo Reyes colabora en *Claridad*, una revista muy a lo Barbusse, que publica la Federación de Estudiantes. No tardó en dar la impar y tremenda nota de su libro *Veinte poemas de amor y una canción desesperada* (1924). Le acusan, de puro hondo y personal, le acusan de supuestos plagios: la posteridad ha demostrado la vanidad del cargo. Ya en el ápice de una fama prematuramente conseguida, Neftalí Ricardo Reyes que firma "Pablo Neruda", por sugestiva admiración al poeta checo Jean Neruda, decide adoptar este su seudónimo literario como definitivo nombre propio: estamos en 1926. Al año siguiente, el gobierno chileno le nombra Cónsul en Rangún, Birmania. Ha comenzado la segunda existencia de Pablo Neruda. Empieza a ser universal.

Entre 1927 y 1938 (salvo una pequeña estancia en Chile, hacia 1930), el poeta recorre Birmania, la India, las Indias Neerlandesas, el Norte de África, Italia, Francia, España, donde ejercerá el consulado de Chile en la época de la Guerra Civil. Antes publica *Residencia en la tierra* (1933). Los poetas y escritores españoles lo reciben con generosa fraternidad: Federico García Lorca, Rafael Alberti, Gerardo Diego, Manuel Altolaguirre, José Bergamín, Vicente Aleixandre, Dámaso Alonso,

Pedro Salinas. La *Revista de Occidente* le abre sus páginas. Publica nuevamente la primera parte y lanza la segunda de *Residencia en la tierra*. Vivía feliz, según él mismo nos cuenta en versos memorables, de pena e ira.

La Guerra Civil le sacude radicalmente. Sale de España y regresa a Chile, resuelto a emprender tenaz campaña a favor de la República. Se convierte en el gonfalonero de ésta, y, deliberadamente o no, se desliza hacia el Comunismo. Cuando regresa a Francia, en 1939, como Cónsul *ad hoc,* encargado de la expatriación de militantes republicanos españoles, su filiación política predomina sobre su impulso humanitario. Lo corroborará durante la subsecuente permanencia en México, también como Cónsul de Chile (1939-1943). Termina en forma bulliciosa esta misión. Se le vincula con la huida del pintor Alfaro Siqueiros a quien se acusa de un intento de asesinar a Trotski. Neruda recibe el Premio Nacional (chileno) de Literatura en 1945. En 1946 le eligen Senador por una provincia del Norte, merced al apoyo de los Partidos Comunista y Socialista, que dominan la región. Un violento ataque suyo al Presidente de la República, Gabriel González Videla, da motivo a un proceso por desacato, que culmina con el desaforamiento del senador, y su fuga. A raíz de ello arroja versos procaces contra el Presidente y sus ministros. Convierte o trata de convertir en materia poética los odios políticos. Al advenimiento del nuevo gobierno (1953), presidido por el General Carlos Ibáñez, Neruda se afinca en Chile, desde donde realiza periódicos viajes a Rusia, la China comunista, Checoslovaquia, Rumanía, Hungría. Su poesía, compendiada en *Canto General,* ha ido perdiendo su impulso amoroso, para convertirse en "boomerang" político y partidario. En los últimos tiempos, a partir de 1954, trata de rescatar su poesía del estudiante neobarroco revolucionario que la estaba extrangulando, y ensaya las *Odas elementales* en las que pretende devolver a su obra el aliento prístino, matinal, que fuera su airón. En ello trabaja todavía con discutible resultado [1].

Neruda es, posiblemente, el poeta más difundido de hispanoamérica, en los últimos tiempos, tanto como lo fuera Rubén Darío y García Lorca; su difusión sólo empieza a ser alcanzada por la de César Vallejo, aunque por diverso modo, menos publicitaria y más acendrada la de este último. Si bien razones políticas, de disciplina partidaria han contribuido a la publicidad de Neruda, nadie podría negar, sin grave injusticia, que ella responde fundamentalmente a la fascinante agonía del poeta. Si muchos de los que le repiten y la hacen eco malentienden su mensaje, y a menudo rinden pleitesía al lírico de los primeros libros, al romántico enamorado de *Veinte poemas,* tan discorde con lo que después sobrevino, en conjunto puede afirmarse que hasta los que le leen poco, pero algo, y los que le sienten mucho, pero mal, y los que le entienden nada, pero le adivinan, todos ellos caen mágicamente dentro de la órbita fan-

---

[1] Obras de Neruda: *La canción de la fiesta,* poemas, Santiago, 1920; *Crepusculario,* Santiago, Nascimento, 1923; *Veinte poemas de amor y una canción desesperada,* Santiago, Nascimento, 1924; *Tentativa del hombre infinito,* Santiago, Nascimento, 1926; *El habitante y su esperanza* (novela), Santiago, Nascimento, 1926; *Anillos,* prosas de P. Neruda y Tomás Lago, Santiago, Nascimento, 1926; *Residencia en la tierra,* Santiago, 1933; *Residencia en la tierra,* I y II, Madrid, Cruz y Raya, 1935; *El hondero entusiasta,* Santiago, Nascimento, 1933; *España en el corazón,* Santiago, Ercilla, 1937 (hay trad. en francés); *Las furias y las penas,* Buenos Aires, A. Gulab, 1939; *Un canto para Bolívar,* México, 1941; *Alturas de Macchu Picchu,* Santiago, Nascimento 1948; *Tercera residencia en la tierra,* Buenos Aires, Losada, 1947; *Dura elegía,* Santiago, 1949; *Himno y regreso,* Santiago, 1948; *Canto general,* México, 1950; *Poesía política* (discursos políticos), Santiago, Austral, 1953; *Todo el amor,* Santiago, Nascimento, 1953; *Odas elementales,* Buenos Aires, Losada, 1954; *Regresó la sirena,* Santiago, Nascimento, 1954; *Las uvas y el viento,* Santiago, Pacífico, 1954; *Viajes,* Santiago, Nascimento, 1955; *Oda a la tipografía,* Buenos Aires, 1956; *Nuevas odas elementales,* Buenos Aires, Losada, 1956; *Dos odas elementales,* Córdoba, Tototal, 1956; *Obras completas,* Buenos Aires, 1956; *Odas ceremoniales,* Buenos Aires, 1961.

tástica del poeta y se nutren de sus perplejidades convirtiéndolas en certezas, o al menos en oscuras e informes aspiraciones.

Claro está, hay por lo menos dos Nerudas si no tres: y es uno, el que está por encima de esos tres, el que se ha hecho famoso. Los diversos Nerudas, el romántico, el hermético y el revolucionario se funden en uno solo: el exasperado [2].

Desde el comienzo ésta es la nota dominante en Neruda. Su primer libro la exhala ya. Aunque los poetas son malos jueces de sí mismos, hay una noticula de Neruda acerca de su obra que vale la pena recordar:

> No he hablado gran cosa de mi poesía. En realidad entiendo bien poco de esta materia. Por eso me voy andando con las presencias de mi infancia. Tal vez de todas estas plantas, soledades, vida violenta, salen los verdaderos, los secretos, los profundos *Tratados de poesía*, que nadie puede leer, porque nadie ha escrito. Se aprende la poesía, paso a paso, entre las cosas y los seres, sin apartarlos sino agregándolos todos en una ciega extensión del amor [3].

Parece una observación sagaz.

Naturalmente, el poeta empezó pagando tributo al modernismo, como en el soneto alejandrino "Esta iglesia no tiene..." con que se inicia *Crepusculario*. Pero ya ahí mismo despunta la

---

[2] Sobre Neruda: F. de Onís, *Antología de la poesía española e hispanoamericana*, cit., 1934; Amado Alonso, *Poesía y estilo de Pablo Neruda. Interpretación de poesía hermética*, Buenos Aires, Losada, 1940; *Alope* (Hernán Díaz Arrieta), *Historia personal de la literatura chilena*, Santiago, Zig-Zag, 1954; Hugo Montes y Julio Orlando, *Historia de la literatura chilena*, Santiago, Pacífico, 1955; Ricardo Passeyro, A. Torres Ríoseco, *El Mito Neruda*, París, 1958, polémica, ("Cuadernos", núms. 28 y 29, París, enero-febrero 1958); R. Silva Castro, *Panorama de la literatura chilena*, cit., 1961 (Unión Panamericana); *Diccionario de la literatura latinoamericana*, Chile, Wáshington, Unión Panamericana, 1958.

[3] Neruda, pról. a *Poesías completas*, 1956, pág. 18.

tristeza germinal que caracterizará hasta sus más encendidos cantos de victoria:

> *Cuando estés vieja, niña (Ronsard ya te lo dijo),*
> *te acordarás de aquellos versos que yo decía.*
> *Tendrás los senos tristes de amamantar tus hijos,*
> *los últimos retoños de tu vida vacía.*
> *Yo estaré tan lejano que tus manos de cera*
> *ararán el recuerdo de mis ruinas desnudas.*
> *Comprenderás que puede nevar en primavera*
> *y que, en la primavera, las nieves son más crudas...*

La mención de Ronsard delata al estudiante de francés en el Instituto Pedagógico. El corte del soneto, también. Pero es en ese libro en donde (el poeta tiene entre los quince y diecinueve años) aparece y a esa edad una composición antológica, la que lleva por título "Farewell". Podría afirmarse que mucho del futuro Neruda se halla definitivamente allí, con su desgarradora soledad, con su irrestañable angustia, con su taladrante tristeza:

> *Desde el fondo de ti, y arrodillado,*
> *un niño triste, como yo, te mira.*

La tremenda sensación de abandono va en un *crescendo* indetenible.

> *Yo no lo quiero, Amada.*
> *Para que nada nos amarre,*
> *que no nos una nada.*
> *Ni la palabra que aromó tu boca,*
> *ni lo que no dijeron las palabras.*
> *Ni la fiesta de amor que no tuvimos*
> *ni tus sollozos junto a la ventana*
> ....
> *Fui tuyo, fuiste mía, ¿qué más? Juntos hicimos*
> *un recodo en la ruta donde el amor pasó.*

> Yo me voy. Estoy triste para siempre; estoy triste,
> vengo desde tus brazos. No sé hacia dónde voy.
> Desde tu corazón me dice adiós un niño
> y yo le digo adiós.

Hay en la simplicidad de este canto elegíaco, madurez, desesperación tácita, más que expresa, irredimible agonía, que no se deshace en lamentos ni protestas, que se nutre de una callada resignación, de algo tan viril y tan sobrio que no lo ha sobrepasado acaso el Neruda de las grandes victorias literarias. Casi todo lo demás en *Crepusculario*, es espejo de la vida cotidiana. Rumor de otros huertos. Pero en "Farewell" y en varios de los "Crepúsculos de Maruri" se siente el paso de silenciosa tragedia, y en estos últimos un eco de la poesía aterida que acababa de inaugurar, en 1918, César Vallejo, del Perú, en *Los heraldos negros*; v. gr.:

> Si Dios está en tus ojos doloridos
> tú eres Dios.
> Y en este mundo inmenso nadie existe
> que se arrodille ante nosotros dos.
>
> (NERUDA)

que trae a las mentes los versos de Vallejo titulados: "Dios", "La de a mil" y "Los dados eternos".

La semejanza vuelve a aparecer en otro de los "Crepúsculos de Maruri" cuando Neruda habla de "Hoy que es el cumpleaños de mi hermano // no tengo nada que darle, nada..." cuya semilla pudiera estar en "Los pasos lejanos", del Vallejo de 1918.

Por entonces, las lecturas manifiestas de Neruda son Ronserd, Maeterlinck (un consocio de la Muerte), Eça de Queiroz y parece que Herrera y Reissig, Darío y ¿por qué no?, el juvenil y vecino Vallejo que ha irrumpido con "Los heraldos negros", en 1918.

En *Veinte poemas de amor y una canción desesperada*, surge avasalladoramente, desde el primer verso, la carne ("Cuerpo de mujer, blanca colina, muslos blancos..."). Mas ya está ahí presente también el devanador de metáforas imprevistas, casi todas vegetales y cotidianas ("Collar, cascabel ebrio // para tus manos suaves como las uvas..."). Ahí también insiste en la desesperación radical que signará su poesía: ("Soy el desesperado, la palabra sin ecos, // el que perdió todo y el que todo lo tuvo..."); el de de las imágenes inesperadas (*"El agua anda descalza* por las calles mojadas. // Llueve. El viento del mar caza errantes gaviotas"); el maestro de las antítesis imprevistas, de los contrastes ilógicos ("Ebrio de trementina y largos besos..."); el lírico exquisito y tierno ("Me gustas cuando callas porque estás como ausente, // y me oyes desde lejos, y mi voz no te toca").

Por último cierra el libro el "Poema 20", no inferior a la "Canción desesperada" del remate. En el "Poema 20" está ya el Neruda de *Residencia en la tierra* y de las *Odas elementales*. Hay un eco del Juan Ramón de *Laberinto*. El mismo prosaico dejo con que el malagueño cantara a Georgina Hübner, aparece en el Neruda del "Poema 20":

Puedo escribir los versos más tristes esta noche;
escribir, por ejemplo: La noche está estrellada,
y tiritan azules los astros a lo lejos...

Hasta *Residencia en la tierra* todo Neruda estará contenido en ese interminable, denso y apasionante diálogo de la esperanza con el desgano, de la inseguridad con el frenesí, de la lujuria con la melancolía. Se dijo que en *Tentativa del hombre infinito* y *El hondero entusiasta* se advierten demasiado claras reminiscencias de Whitman a través de Carlos de Sabat Ercasty; y que aquí y allá se notan indudables lecturas de Rabindranath Tagore. Todo eso me parece baladí. La "cantidad" de poeta que hubo y hay en Neruda no permitió jamás sino coincidencias o reminiscencias involuntarias, ya que nunca estuvo urgido de riqueza ajena, atenido a su propio opulento desamparo.

Tan consustancial le es todo esto que, ensayando la prosa en *El habitante y su esperanza* (1926), o sea, a los veintidós años, reitera, como exudación, es decir, según una ley de su propia naturaleza, la propia aureola de poesía que en los versos; aureola simple y desgarrada, melancólica y amarga. Alguien dirá que tal cual párrafo recuerda los de *Clara de Ellebeuse* o *Manzana de Anís* de Francis Jammes, muy en boga entonces, o de *El jardinero* y *Gitánjali* de Tagore, pero ello no revela sino una consonancia de temperamentos, a lo más fortificada por la consiguiente predilección por la lectura también cónsone:

> Si (ella) se está lavando, me gusta ver sus manos que se azulan con el agua fría, si está entre el huerto, me gusta ver su cabeza entre las pesadas flores del girasol, si no está, me gusta ver vacío el patio y la huerta, y la espero sin desear que llegue [4]
>
> Andrés me despertaba de la misma manera todos los días riéndose a grandes risas. Su carcajada sobresale por encima de él porque es tan pequeño que casi no lo encuentro [5].

La obra de Neruda excede los límites de esta rápida silueta. Sólo una parte de ella, precisamente la que se inicia en el punto a que llega este trabajo, ocupa un libro entero de Amado Alonso. Sin embargo, se hace preciso pormenorizar aunque sea brevemente. Así, señalo que en *El hondero entusiasta*, asoman factores que adquirirán súbito e incontrovertible relieve a partir de *Residencia en la tierra* (1933), factores que son la sal del estilo nerudiano hasta *Odas elementales* (1946) y aun a través de ellas. Me refiero por ejemplo a las comparaciones más que metáforas sobre elementos inanimados de la naturaleza.

---

[4] Neruda, *Poesías completas*, pág. 97.
[5] Neruda, *Poesías completas*, pág. 103.

el uso de colores arbitrarios, pero sugestivos, para calificar objetos a los que se otorga intenso carácter sensitivo.

> *Hago girar mis brazos como dos aspas locas*
> *en la noche toda ella de metales azules.*
>
> (El hondero, Canto I)

> *Da ganas de gemir el más largo sollozo*
> *de bruces frente al muro que azota* el viento inmenso
> (id.)

donde el verso "da ganas", etc., evoca los acentos de "Farewell" (*Crepusculario*) y el poema 20 de *Veinte poemas*.

También se advierte ahí algo peculiar en Gabriela, el uso del eneasílabo (eco de José Asunción Silva, Rubén y Chocano) y cierta aparente torpeza auditiva al mezclarlo con el octosílabo en más bien involuntario error de oído que ardidoso propósito de yerro:

¡Déjame sueltas las manos	8
y el corazón, déjame libre!	9
Deja que mis dedos corran	8
por los caminos de tu cuerpo.	9
La pasión —sangre, fuego, besos—	9
me incendia a llamaradas trémulas.	9 (10-1)
¡Ay, tú no sabes lo que es esto!	9

He señalado esta deficiencia de "bronco oído" al referirme a Gabriela Mistral, aunque podría extenderse a muchos, ya que el eneasílabo no siempre resulta fácil, por lo que suele constituir lujo versista.

Corresponde, sin duda, a *Residencia en la tierra*, aparecido en 1931, no obstante de que las fechas de su producción serían 1925-1931, corresponde a ese libro la definición plena de Neruda, sin que por ello pierda su continuidad desde la primera línea del primer libro. Quien niegue la compacta personalidad del poeta comete un evidente error.

Mas, a partir de *Residencia...* surge lo que Amado Alonso ha denominado la "poesía hermética", que él con plausible éxito ha tratado de interpretar. Escribe Alonso:

> De tener que caracterizar en una cifra la poesía última de Pablo Neruda, lo haría con estos tres versos de su *Oda con un lamento:* "O sueños que salen de mi corazón a borbotones, // polvorientos sueños que corren como jinetes negros, // sueños llenos de velocidades y desgracias". Es una poesía escapada tumultuosamente de su corazón, *romántica por la exacerbación del sentimiento, expresionista por el modo eruptivo de salir, personalísima por la carrera desbocada de la fantasía y por la visión de apocalipsis perpetuo que la informa*[6].

En otro lugar advierte Alonso que, a su juicio, lo más característico en la evolución —o involución— de Pablo Neruda, poéticamente hablando, es su creciente ensimismamiento. Ello exige modos expresivos también cada vez más ensimismados o, si se quiere, menos vulgares aunque transferibles. Por ejemplo, el empleo de los gerundios, cuya frecuencia, hasta constituir un hábito, es evidente a partir de *Residencia:*

Como cenizas, como mares, poblándose...
....
teniendo *ese sonido ya aparte del metal, confuso,* pesando, haciéndose *polvo...*
....
mezclando *todos los limbos sus colas...*

conjunto de gerundios y participios presentes que aparecen en la primera estrofa de la primera composición ("Galope muerto") de la primera *Residencia* y que no harán sino multiplicarse a medida que avance el tiempo. Con igual *crescendo* au-

---
[6] Alonso, *ob. cit.,* pág. 7.

mentan las metáforas y los adjetivos o frases adjetivadas compuestos o ayuntados de objetos materiales e inmateriales, en un trozo al principio sorpresivo, pero después regular:

*De miradas polvorientas caídas al suelo
o de hojas sin sonido, sepultándose.
De metales sin luz, con el vacío,
con la ausencia del día muerto del golpe,*

....

(Alianza)

haciendo golondrinas frescas en mi sueño
....

(Caballo de los sueños)

Yo destruyo la rosa que silba
....

*Su cuerpo de eucaliptus roba sombra,
su cuerpo de campana galopa y golpea...*

(ibid.)

....
con un desgarrador olor frío, con sus fuerzas en gris...

(Débil del alba)

*De conversaciones gastadas como usadas maderas,
con humildad de sillas con palabras ocupadas...*
....

(Sabor)

Todo este material y muchos ardides estilísticos, acaban fundiéndose en un solo tono que constituye el tono de Pablo Neruda, el nerudismo, imitado y falsificado a menudo por quienes adoptan del poeta las formas externas, sin penetrar, en sus secretos y permanentes designios. Aquello de *sus ojos luchaban como remeros // en el infinito muerto // con esperanza de sueño y materia* de seres "saliendo del mar" que dice el poeta en "Fantasma", nos coloca frente a uno de sus más próvidos recursos: el de aparear materia y espíritu, luz y densidad, en un todo. Coleccionemos ejemplos: "envuelto en caracoles y cigarras", "su aliento profético", "tu pecho de pan, alto de clima", "de pasión sobrante y sueños de ceniza", "de su mirada largamente verde", "largos besos espesos por consigna", etc.

Es curioso observar cómo entre la *Primera* y la *Segunda Residencia en la tierra* adviene el reino de los peces y elementos marítimos: y cómo entre la *Segunda* y la *Tercera,* el de los metales, no por minero Neruda, sino por minado de una ansiedad inédita.

En todo caso, sin duda, lo que predomina y asfixia es un caos figurativo, emocional y léxico, un caos cuatridimensional al cabo.

Es en este caos cuatridimensional en donde deberían buscarse y hallarse las fuentes mismas del estilo nerudiano.

Su "hermetismo", muy discutible, depende de circunstancias y esencias a la vez, mas no figuran entre esas circunstancias las lecturas o influencias literarias, sino la edad y el lugar. Creer que el futurismo o el surrealismo determinan a cierto Neruda, no sería exacto. Pensemos que sus más próximos compañeros en Madrid, entre la primera y tercera *Residencia en la tierra,* fueron Federico García Lorca, Rafael Alberti, José Bergamín, Manuel Altolaguirre, adictos a una poesía a la que podríamos llamar "natural como un movimiento respiratorio" hasta en sus virtudes plásticas. Ninguno de ellos lució como hábito la vistosa agilidad de Huidobro, ni la elocuencia cuasi oratoria de Sabat Ercasty. Subsiste en la formación de Neruda, estudiante anarquista de 1920, destructor del mundo, autor de "Una canción desesperada" y *El hondero entusiasta.* Ese anarquista encuentra su medio de expresarse en la enumeración de los diversos y antagónicos elementos que constituyen su mundo, y, por consiguiente, su caos. Walt Whitman, huella poderosa en Neruda, había procedido así, mas no por escuela, sino por imperio de personalidad y circunstancia. Whitman había *pare-*

cido ensimismado ("Canto de mí mismo", "Canto al cuerpo eléctrico", "O captain my captain", etc.), pero, en verdad, disfrazaba su perplejidad de arrogancia, para disimular su desconcierto, ante un mundo ininteligible por sorpresivo y distinto al anterior. La era de la electricidad y de la industria chocaba a un hombre de campo como Whitman. Su instrumento se simplifica entonces: enumerar antagónicamente, para dar en sumas —operación simple— los logaritmos de su tiempo —compleja operación algebraica—. A Neruda le ocurre igual. Salta del ímpetu romántico de Santiago, la urbe inmediata, ensueño del provinciano fronterizo, a países exóticos, insondables: India, Birmania, Borneo —y luego, súbitamente, a la antinomia pasional de España—. De lo pintoresco a lo religioso y místico, y de esto a la lucha ideológica. Tan rápido y radical tránsito no se expresa con facilidad sino descoyuntando el lenguaje paralelamente al descoyuntamiento de la sensibilidad y la inteligencia. Pero, en el fondo, nada invisible, por cierto, subsiste el poeta emotivo, romántico, refugiado en lo más incoercible del yo.

Un poeta es al fin y al cabo, un ser que siente y prevé lo que los demás no columbran ni adivinan. La hiperestesia propia de todo poeta auténtico significa un vivir a nervio desnudo. De ahí el violento cambio del Neruda de la Primera y la Segunda *Residencia* al de la Tercera y el *Canto a las glorias de España,* después de lo cual hace presa de él un aplastante proselitismo político, sólo interrumpido por el redescubrimiento de su yo profundo en *Alturas de Macchu Picchu* y en el propósito, no siempre logrado, de recuperar la perdida simplicidad a través de sus *Odas elementales* cuyo fracaso o mediano logro depende de una circunstancia dolorosa: el poeta que ha creado su estilo, acaba siendo su presa. El "retiario" experto concluye atrapado por su propia red. Neruda devora a Neruda... después de 1938, o, más precisamente, desde los alrededores de 1949. Lo demás, salvo fugaces resplandores, pertenece a la ideología, que no se confunde, sino a vivo esfuerzo, con la poesía.

No es necesario aludir para esto a la filiación política de Neruda, filiación que, por su extensión terráquea y sistemática, constituye uno de los más vigorosos y elásticos trampolines de que dispone la Fama del momento. Comunista hoy, anarquista ayer, bohemio siempre, tierno y altanero, revestido de improvisado ropaje sacerdotal que no consigue ocultar la esclavina de estudiante ni el jubón de trovador, Neruda, por mucho que derroche ingenio poético (distinto a genio poético) no logrará jamás convertir en materia poética a algunos de sus personajes, acaso porque no ha transcurrido aún el tiempo necesario para que sean ya como los pequeños personajes de la Florencia del siglo XIII, protagonistas literarios de la *Commedia* del Dante.

Todo ello podría sintetizarse en palabras del poeta, cuando se encara a lo milagroso de un mundo milenario, enterrado en una cumbre: Macchu Picchu:

Puse la frente entre las olas profundas,
descendí como gota entre la paz sulfúrica,
y, como un ciego, regresé al jazmín
de la gastada primavera humana.
....
(*Alturas de Macchu Picchu*, I)

La poderosa muerte me invitó muchas veces:
era como la sal invisible de las olas,
y lo que su invisible sabor diseminaba
era como mitades de hundimiento y altura
a vastas construcciones de viento y ventisquero...
(id., IV)

El último verso evoca los orígenes poéticos de Neruda: *de viento y ventisquero*; es decir, el recurso verbal modernista de la similicadencia, el utilizar voces semejantes para expresar sentimientos contradictorios o desarrollados en espiral, recursos cuya exacerbación tiene como síntesis el *Ulysses* y *Finnegan's Wake* de Joyce, toda una experiencia vital y estética puesta contra el muro de la desesperada impotencia expresiva.

Hermetismo, no creo. Neruda es un poeta desesperado: Habría que aplicar a él y a su obra aquellos versos del ya citado poema:

todos desfallecidos esperando su muerte, su corta muerte diaria;
y su quebranto aciago de cada día era
como una copa negra que bebían temblando.

Apenas si cabe agregar que tanta desesperación, tan desgarrador caos, tan balbuceante urgencia de expresarse, tanta maestría para destruirse destruyendo, tenían que producir mil discípulos. Por lo común, hasta hoy, los verdaderos discípulos no son, como decía Zaratustra, "los que me niegan", sino "los que no me entienden, pero que darían la vida por entenderme". De vencer imposibles es de donde nacen los verdaderos secuaces: nunca de transitar sin obstáculos, por romas posibilidades, sin aristas ni proezas por entre ripios cuya derrota es un secreto reservado a muy pocos...

Cuando Juan Ramón Jiménez, en uno de sus característicos raptos de mal humor, alude a "chocaneros y nerudones"[7], más que censura a Chocano y Neruda quiere significar, o significa, desdén para los imitadores de ambos, que representan dos claras etapas de la poesía americana del presente siglo.

Sería injusto culpar tales imitaciones y remedos a Neruda. Mientras los seguidores afilan sus lápices para reproducir, lo más servilmente posible, los gerundios, sensaciones incompatibles, contrastes y antinomias tajantes, verbalizaciones esotéricas, típicas de la poesía nerudina, el inspirador, sin oírlos mucho, pero alentándolos siempre, prosigue su camino vital, jocundo, desdeñoso de lo consuetudinario, proclamando a grito herido su rebeldía ante toda norma, su hartazgo de irregularidad, su vocación de egolatría. Quien se interese por desentrañar la poesía de Neruda habrá de cotejarla con la existencia de su creador. Aunque a menudo los versos más engarfiados los escribieron

---

[7] Buenos Aires, Losada, 1943.

poetas de vidas tersas, no es éste el caso de Byron, Poe, Baudelaire, Verlaine, Rimbaud, Espronceda, Darío, Herrera y Reissig, Chocano, Vallejo, García Lorca, Mayakowski, Kazantzakis. Tampoco es el caso de Neruda.

Herméticos como Mallarmé y Valéry se encierran dentro de las cuatro paredes regulares de la inteligencia, alumbrada a veces por previstos lampos de alucinaciones. Quién paga a la vida el alto tributo de su propio y diario drama (y drama es el que se sufre y el que se goza locamente), rara vez vive o crea una poesía hermética: exasperada, sí, inconforme y desmelenada, desde luego, y, por tanto, pese a cualquier reparo formal, intrínsecamente romántica. ¿O es que en el fondo de todo romanticismo no subyace un irreductible ensimismamiento, cuya clave se revela a luz de emoción antes que de deliberación y fantasía?

XLVIII

GILBERTO OWEN

(Sinaloa, 4 febrero 1905 — Filadelfia, 9 marzo 1952)

Entre todos los magníficos escritores mexicanos constituyentes de la llamada generación de *Ulises* y *Contemporáneos*, ninguno acaso tan artista recóndito y lacerado como Gilberto Owen Estrada. Sus compañeros lucían y lucen ya celebridad: Jaime Torres Bodet, Xavier Villaurrutia, José Gorostiza, Salvador Novo, Jorge Cuesta y un poco, ligerísimamente anterior, Carlos Pellicer. Pero, Gilberto Owen en quien, como en Novo, se reunían las más antagónicas vertientes; Gilberto, discípulo de Mallarmé y de Elliot, de Gide y de Joyce, de Rimbaud y de Ezra Pound, de Lautréamont y de Poe, Gilberto había logrado acendrar su inspiración, de tan sutil manera y tan a la desgarrada, que hasta ahora tiende su garfio invencible y con él ataja el misterio, envuelto en cendales de agonía, de clara agonía, como sólo se da en los personajes y lamentos de alguno de aquellos terribles "poètes maudits" de Francia, de Estados Unidos, de Inglaterra, de Alemania y de América [1].

[1] Obras de Gilberto Owen: *Desvelo*, México, 1925; *Línea*, Buenos Aires, Cuadernos del Plata, 1930; *Perseo vencido*, Lima, Universidad de San Marcos, 1948; *El libro de Ruth*, México, ed. Firmamento, 1944 (verso); *La llama fría*, México, "El Universal Ilustrado", 6 agosto 1925; *Novela como nube*, México, ed. Ulises, 1928 (prosa). Selección o compilación: *Poesía y prosa*, México, Imp. Universitaria, 1953.

Gilberto Owen Estrada nació en Sinaloa el 4 de febrero de 1905, de una familia acomodada, con sangre inglesa por el padre y criolla por la madre. La silueta física de Owen, flaca y alta, era de británico; el color de la tez, el perfil corvo de la nariz y lo cimero de los pómulos, de mexicano. Recibió una educación contradictoria: los religiosos y la Revolución. El esteta insobornable que había en él, tuvo que pagar su tributo a la Revolución. Owen fue telegrafista del ejército del General Obregón, a los dieciséis años. Adquirió allí el regusto por lo nativo, el asco hacia lo folklórico, un vivo rechazo a la violencia y el contagio místico de la muerte. Ingresó a la Universidad y al periodismo. Apasionado de la literatura sin acción, la que podría llamarse literatura morosa o abstracta (Shelley, Lautréamont, Proust, Joyce, Poe, Elliot, Valéry, Gide, Cocteau, Breton, George, Rilke, Pound, Jacob), alienta con pánico entusiasmo la formación del grupo llamado "Ulises", que editó la revista del mismo nombre y se acuerpó en el grupo y revista *Contemporáneos*. Sus compañeros de entonces llámanse Xavier Villaurrutia, Salvador Novo, Jaime Torres Bodet, Jorge Cuesta, Enrique González Rojo. Pasan el tiempo creando imágenes y recreando mundos. Es 1927. Gilberto ha vivido ya en los Estados Unidos cuyos poetas traduce. En 1931, bajo la tutela de Genaro Estrada, gran esteta, Owen inicia su carrera consular en Lima, donde nos conocimos. Ya era autor de *Novela como nube*. Por inquietud política y ruptura de relaciones entre Perú y México (1932), Owen es trasladado a Guayaquil. Se aparta de la carrera. Ejerce el periodismo y el oficio de librero en Bogotá, donde se casa. Vuelve a México y al servicio consular en Filadelfia. Está triste y abstemio. Fallece ahí mismo el 9 de marzo de 1952.

En el prólogo de Alí Chumacero a *Poesía y prosa,* se retrata de modo perdurable a Owen: "La fama, en la que se solazaron sus contemporáneos, fue un ámbito ajeno a su ambición. Owen prefirió el trabajo del minero, del buzo, del criminal que en la alcoba concierta sus intenciones, antes que reclamar un prestigio logrado a fuerza de vigilias. Así, apegado a sus normas solitarias, pretendió pasar ante el mundo de la literatura como un poeta desconocido. Y en verdad que lo logró. De su angustia forjada en la soledad, nada vino a defenderlo: ni afectos, ni intereses, ni mucho menos la vanidad de ser citado en alguna antología. Prefirió conservar, como la más preciada herencia, la sutil gloria del anonimato".

Verdad esencial, pero no circunstanciada. Owen no fue un anónimo, a pesar suyo. Su primer libro en prosa, *Novela como nube*, salió a consecuencia de la presión de sus compañeros en el culto a Joyce y Elliot, Lautréamont y Rimbaud, como podrían ser calificados los tripulantes de *Ulises*, título elocuente en 1927 sobre todo. El segundo libro *Línea*, lo recuperó Alfonso Reyes del extravío a que lo había lanzado la incuria del autor. El tercero o cuarto, *Perseo vencido*, se lo arrebaté yo, en Bogotá, y, como él mismo dice en carta a Vasconcelos, cuando estuvo impreso, "*corrieron* al Rector" de la Universidad que quiso tener el honor de editarlo.

Hay en toda la parva obra de Owen un dejo amargo y pueril de infancia tronchada, de amor imposible, de irreparable tristeza. Su primera estrofa en *Desvelo* revela la complejidad del poeta, cuya adolescencia transcurriera entre lecturas anglofrancesas y menesteres de telegrafista en campaña, a bordo del tren militar del general Obregón, durante la Revolución mexicana.

> *¿Nada de amor —¡de nada!— para mí?*
> *Yo buscaba la frase con relieve, la palabra*
> *hecha carne, luz tangible*
> *y un rayo de sol último...*

Cuando a los dieciocho años se escribe en este tono, la anticipada muerte anda pudriendo por dentro al cuitado. Éste dirá en seguida, sin ecos de Juan Ramón, quizá, sí, de Machado y de Shelley, a quien admirara tanto:

> *El agua, entre los álamos,*
> *pinta la hora, no el paisaje;*

*su rostro desleído entre las manos
copia un aroma, un eco...
(Colgaron al revés
ese cromo borroso de la charca
con su noche celeste tan caída
y sus álamos hacia abajo,
y yo mismo, la cabeza en el agua
y el pie en la nube triste de la orilla.)*

La prosa de Owen de ese tiempo está taraceada de imágenes imprevistas. Corresponde al alba del Suprarrealismo: son como preludios de las descomunales metáforas nerudianas, pero dichas al desgaire, sin énfasis, de espaldas a la publicidad, riéndose de sí mismo, como apesadumbrado de tener ojos de ver y oídos de oír, y no cabeza de ocultarse bajo el misterio de la tierra y el silencio. Sus estampas hacen pensar en la lírica japonesa, y recae en el hai-kai, tal vez evocando a Tablada, olvidado mentor de una generación sudamericana.

EN LA LANCHA

*Remando por el cielo y por el agua
pasa una cerca de nopales:
piragua innumerable
cargada de crepúsculo.*

De Gide ha aprendido el arte de algunas parábolas, dialogando con Natanael. De Góngora, el lejano esplendor de su barroco. Leía al cordobés con fruición inextinguible. Lo aprovechó a su manera, compartiéndolo con Breton y Joyce. Era uno de los más "antiguos y modernos" poetas de México, este Owen sabidor de líricas arcaicas e imprevistas piruetas ultracontemporáneas. Era además creyente. La vida no le deparó muchas alegrías, aunque él rio en verso y actos casi todo el tiempo. He conocido poetas: nadie me inspiró mayor certeza de hallarme ante un predestinado de la muerte. La poesía de Gilberto, pese a su atavío a menudo funambulesco, traduce callada remembranza mística. Hay ceniza, terrible ceniza bajo el gorro de payaso. Hasta se podría incurrir, sin impunidad, ¡ay!, en el consabido tópico de Garrik y demás embelecos de Juan de Dios Peza, pero, aquí, reales...

Las imágenes y expresiones de Owen poseen casi siempre una densa gravedad patética.

> *No me sueltes los ojos astillados;*
> *se me dispersarían sin la cárcel*
> *de hallar tu mano al rehuir tu frente,*
> *dispersos en la prisa de salvarme...*
> ....
> *Que es noche, nada más, amor dormido,*
> *dolor bisiesto emparedado en años...*
> ....
>
> *Déjame así, de estatua de mí mismo,*
> .... *no hables*
> *que no tienes ya voz de adivinanza*
> *y acaso te he perdido con saberte...*
> ....
> *Y luché contra el mar toda la noche,*
> *desde Homero hasta Joseph Conrad,*
> *para llegar a tu rostro desierto*
> *y en su arena leer que nada espere,*
> *que no espere misterio, que no espere*
> ....
>
> *Todos los días 4 son domingos...*
> *porque los Owen nacen ese día...*
> ....
> *Hoy me quito la máscara y me miras vacío...*
> ....
> *Ya no va a dolerme el mar*

> *porque conocí la fuente.*
> *¡Qué dura herida la de su frescura*
> *sobre la brasa de mi frente!...*
> ....
> *Pero, ahora el silencio congela mis orejas;*
> *se me van a caer pétalo a pétalo...*
> ....
> *ni el habla de burbujas de los peces...*

Hay en el "Discurso del paralítico" (parte de "Tres versiones superfluas" que, a su turno, integran *Perseo vencido*) la embriaguez musical y plástica de un Valéry con suspiros. Una caótica dialogación de profetas y míticos personajes se enreda en aquel canto. Se apacigua apenas en *Laberinto del ciego*, cuando empieza, tema pertinaz:

> *Alzo mi rosa, pero no por mía,*
> *ni por única, azul, sino por rosa.*
> *Me fuese ajena, no sufriese, prora*
> *vaga en mis mares íntimos, su espina.*

Owen encerraba un fondo teológico, teologista, teologizante, teologal. Le encantaba aludir a misterios divinos, a virtudes cardinales, a milagros, a jueces y profetas del Antiguo Testamento, a mujeres bíblicas. Lector de Chesterton, de Gide y Joyce, no olvidemos esta trilogía de "Dignities" como dicen los sajones. En sus *Poemas no coleccionados*, escritos entre 1948 y 1952, se encuentran hondas huellas de aquello:

> *¿A dónde irás, recuerdo forajido,*
> *con los siete mastines a la zaga:*
> *a qué sombra me llevas, sin sentido,*
> *a qué luz me devuelves, que se apaga?*
>   (*Lázaro mal redivivo*)
>
> *Ahora vas a oir Natanael, a un hombre*
> *que a pesar de sus malas compañías, los ángeles,*

> se salvó de ser ángel con ser hombre;
> míralo allí: pensil de aquella estrella
> les sonríe lección de humanidades,
> que es de sensualidades y de hambres.
>
> (De la ardua lección)

De uno de esos poemas, tal vez el último de Owen, se recoge un aliento mortal: se titula "Es ya cielo":

> Es ya cielo. O la noche. O el mar que me reclama
> con la voz de mis ríos aún temblando en su trueno,
> sus mármoles yacentes hechos carne en la arena,
> y el hombre de la luna con la foca del circo,
> y vicios de mejillas pintadas en los puertos,
> y el horizonte tierno, siempre niño y eterno.
> Si he de vivir que sea sin timón y en delirio.

Buena parte de la obra de Gilberto Owen se perdió, entre ella *Infierno perdido* o *Mundo perdido*, de que algunos conocimos largos fragmentos. Estaba en sazón, aunque atormentado y melancólico, inquieto y caótico en sus últimos días. Cuando le vi la última vez, en New York, en 1951, tuve la sensación de ver a alguien que se escapaba de sí mismo. Tenía la boca crispada de quejas nunca dichas. Era un desterrado voluntario e irreparable. Murió así, con "pocos amigos", en Filadelfia, a donde le tenía de nuevo clavado, su recuperado destino de cónsul. Cónsul de una Musa implacable, en tierra extraña, la tierra de la desesperanza. Después de todo, podría caracterizársele así: Owen o el desesperado.

XLIX

"MARTÍN ADÁN"

(Lima, 27 octubre 1908)

Rafael de la Fuente Benavides, conocido literariamente como "Martín Adán", es seguramente una de las más insólitas figuras literarias del Perú y, acaso, de América. Clasicista severo, aparece como un audaz renovador de léxico y sintaxis. Humorista cotidiano, su prosa llega a lucir patetismo e ironía, a fuerza de aguda, pero en esencia es un estilo compacto, lúcido y poético. Junta de esta manera atributos en apariencia opuestos: la lucidez y el lirismo, la severidad y el humorismo, el clasicismo ultrabarroco y la audacia verbal lindante en el disparate cuando se le viene en gana. De una precocidad fuera de lo común, es decir, fuera de lo común de las precocidades, se destacó, especie de Rimbaud limeño, con relieves impares cuando apenas llegaba a los veinte. Habría callado, como el autor de *Une saison à l'enfer*, en plena juventud, si manos solícitas y atenciones incansables no hubiesen mellado su resistencia a la publicidad y obtenido nuevas cosechas, siempre difíciles de arrancar a su terco hermetismo de insatisfecho artífice.

Nacido en Lima, el 27 de octubre de 1908, de un hogar conservador, perdió a sus padres a temprana edad y recibió desde entonces el cuidado de unas tías solteronas, a quienes dedica, subconscientemente, las mejores observaciones de uno de sus libros característicos, *La casa de cartón* (1928). Dentro de ese ambiente retenido y católico, creció un niño de cuerpo endeble, modales un tanto titubeantes, mirada sonámbula en los grandes ojos oscuros, una gran frente, una sonrisa tímida y un hablar incisivo, de imprentidos rumbos. Rafael de la Fuente fue un niño normal, estudioso, recogido y débil, con todos los atributos del muchacho mimado, unigénito y sobrino de tías solteronas. Su educación primaria y secundaria se realizó en el "Deutsche Schule" de Lima, un colegio donde ejercía la cátedra de Castellano un profesor que debió ser poeta y fue filólogo eximio, Emilio Huidobro, natural de España, exseminarista, persecutor infatigable de las raíces y variantes de los vocablos, con lo que contribuyó en mucho a formar la vocación estilística de un entonces adolescente Joyce limeño, el futuro "Martín Adán". Los compañeros de aula de De la Fuente serían después escritores preocupados también de los problemas del lenguaje y, alguno, poeta de clara filiación suprarrealista: Emilio Adolfo von Westphalen, Estuardo Núñez y, aunque ligeramente mayor, Xavier Abril. La marca del Deutsche Schule ha sido visibilísima en muchos escritores de aquella edad, especialmente a causa de la delectación formal, especie de insanable regusto en las palabras. Con lo que nos asomamos a los más grandes lexiquistas de ese tiempo: Joyce, Cocteau, Proust, Apollinaire, Jiménez, Jarnés, cuya boga fue evidente en la América del 1927. Para esa época ya "Martín Adán" tenía en agraz su obra y su seudónimo. Lo echó a volar en unos sonetos publicados por *Amauta* (Lima, 1926-1930) y en las primicias de su libro en prosa, insertas en la misma revista [1].

---

[1] *Itinerario de primavera*, antisonetos, en la revista *Amauta*, número 17, Lima, 1928; *La casa de cartón*, prólogo de Luis-Alberto Sánchez, colofón de José-Carlos Mariátegui, Lima, Tip. Perú, 1928 (hay varias ediciones posteriores); *Lo barroco en el Perú* (tesis de doctor), publicado en las revistas *Mercurio peruano*, *Cultura peruana*, *Boletín bibliográfico de la Biblioteca Central de la Universidad Mayor de San Marcos*, Lima, entre 1940 y 1944; *La rosa de la espinela*, décimas,

Según Estuardo Núñez, los originales de *La casa de cartón* estaban escritos desde 1924 ó 25. En todo caso, apareció un fragmento en 1928, cuando el autor cumplía los veinte. Para esa época ya tenía en su haber los que Mariátegui llamó "anti-sonetos". Veamos uno:

LITORAL

En el steamer de un Capitán que huma los añiles
del horizonte primo, del gris amoratado,
navego por gaviotas que sucumben a miles
y por islas de vidrio que se apartan a nado.

Las nubes, camareras de a bordo, en sus mandiles
con helias ceras lustran el vapor encerado.
—Día, uña esmaltada, sonrojo de marfiles
en la vergüenza boba de haberse desnudado.

Yo traigo en mi maleta mi pipa de cerezo
y en la boca la menta de un exquisito beso,
capricho de tres dólares, caramelo redondo...

—La playa que bucea —se trae caracolas—;
el cielo, el sol... los huesos náufragos de las olas...
Señal de que ha bajado hasta el fondo más hondo.

(En *Amauta*, n.° 17, 1928)

Este soneto —o antisoneto— contiene, en su todavía insegura forma, debida a un escritor de 19 años, algunos hallazgos verbales y mentales, como aquello de "las islas de vidrio que se apartan a nado", "helias ceras lustran el vapor encerado",

---

Lima, "3", 1939; *Travesía de extramares*, Lima, Ministerio de Educación, 1950; *Escrito a ciegas* (poema), Lima, Ed. Mejía, 1961; *La mano desasida* (poema inédito), Lima, 1961-62. Sobre Martín Adán: Sánchez, *Índice de la poesía peruana contemporánea*, Salazar y Romualdo, *Antología general de la poesía peruana*, Lima, Internacional, 1957, etc.

donde "helias" implica la acción del sol, y las "ceras" equivalen a la luz que "lustra" (o limpia) la atmósfera. Los juegos de sonido: "huma" (por fuma); "el fondo más hondo", y la un tanto ingenua alusión al beso cotizado en tres dólares, acusan las lecturas de Cendrars, Soupault, García Lorca, Góngora, entonces en boga o redivivos. El mismo juego de palabras y denuncia de aprendiz de semántica, se advierte en el soneto "Esquizofrenia", donde aparecen los términos: "estrellín, estrellón, anoche se dormía", "sin hembra al lado, al lado de un viento que rugía", "avestrella", "hora" (por ahora), etc.

Cuando un poeta adolescente rompe a cantar así, no cabe duda de que la madurez le tornará al redil clasicista o le empujará a la auténtica demencia verbal. Es lo que ocurriría con "Martín Adán".

Hacia 1930, publica en la revista *UMSM* (Universidad Mayor de San Marcos), de que fui director, su "Lección de la rosa verdadera", pero, antes de esta eclosión imaginativa y verbalista, había lanzado su ahora clásica *La casa de cartón*.

Hay que trasladarse al ambiente literario de Lima en 1927-28. Circulaban con profusión no repetida los libros de Ortega y Gasset, García Lorca, Antonio Espina, Benjamín Jarnés, Rafael Alberti, Pedro Salinas, Jorge Guillén, entre los españoles, y, entre los extranjeros traducidos, *El retrato del artista adolescente*, *A la sombra de las muchachas en flor* y *El camino de Swann*, *Cuentos de un soñador* más todo Oscar Wilde y todo B. Shaw. El signo de la literatura imaginativa y de regusto vocabular era indudable. En medio de eso, y a consecuencia de la actividad que un nuevo Estatuto había impreso en San Marcos, la Universidad dejaba fluir las enseñanzas de un grupo de maestros jóvenes, adictos a las nuevas escuelas. *La Gaceta literaria* y la *Revista de Occidente* de Madrid, *La vida literaria* de Buenos Aires, *Contemporáneos* de México, la obra de Ricardo Güiraldes, Victoria Ocampo, Jorge Luis Borges, Macedonio Fernández, Enrique Larreta y la de Alfonso Reyes, Villaurrutia, Owen, Novo, Torres Bodet, Jorge Cuesta, contribuían decisivamente a contornear el gusto literario de los jóvenes: en realidad, paradigmas de bien modelada prosa, de verso exigente. Si agregamos la indeleble huella de un maestro de semántica, rebuscador de los orígenes y evolución de las palabras, estaremos dentro del clima en que se desenvolvía la impaciente imaginación y la desnuda sensibilidad de "Martín Adán". Contribuía a ello el acicate de la revista *Amauta*, socializante en el fondo, suprarrealista y dadaísta en la forma, y cierto inesperado auge de un castizo destroncador de giros, E. Jiménez Caballero, quien publicaba entonces *Yo, Inspector de Alcantarillas*. Desde luego, si "Martín Adán" no hubiera tenido a flor de piel su exquisita receptividad estética, de nada habría servido aquello, pero, dadas las características de su temperamento, la simbiosis fue inmediata, fecunda y armoniosa.

Prescindo de lo que en esta ecuación pudiera representar el hecho de haber sido yo uno de los maestros del escritor, en el Deutsche Schule, y, luego, haberme encargado de la edición y prólogo de su primer libro. Cualquiera que sea esa actitud, no se podrá juzgar sino con alto encomio y saborear con fruición la prosa pintoresca y sabrosa de Martín, cuyos indecisos contornos traen a las mientes una precoz absorción de elementos proustianos, adaptados o identificados a un criollismo esencial. "Martín Adán" realizaba, con respecto a la descripción de ciertos aspectos vernaculares de la Lima de 1924-28, lo que Abraham Valdelomar había llevado a cabo con las costumbres costeñas de 1912-16: elevarlas a categoría estética y revestirlas del lenguaje más contemporáneo posible. Lo que en el uno tenía rezagos de D'Annunzio, Miró, Azorín y Valle Inclán, en el otro los tenía de Joyce y Proust, los dioses de la nueva sensibilidad. Veamos un fragmento, el inicial, de *La casa de cartón*:

> Ya ha principiado el invierno en Barranco, raro invierno, lelo y frágil, que parece que va a hendirse en el cielo y dejar asomar una punta de verano. Nieblecita del pequeño invierno, cosa del alma, soplos del mar, garúas de viaje en bote de un muelle a otro, aleteo sonoro de beatas retardadas, opaco rumor de

misas, invierno recién entrado... Ahora hay que ir al colegio con frío en las manos. El desayuno es una bola caliente en el estómago, y una dureza de silla de comedor en las posaderas, y unas ganas solemnes de no ir al colegio en todo el cuerpo. Una palmera descuella sobre una casa, con la fronda, flabeliforme, suavemente sombría, neta, rosa, fúlgida. Y ahora silbas, tú, con el tranvía, muchacho de ojos cerrados. Tú no comprendes cómo se puede ir al colegio tan de mañana y habiendo malecones con mar debajo...

El párrafo, escrito entre los 16 y los 19 años, acusa una capacidad literaria realmente insólita. No se podría acusar una sola falla, excepto quizá cierta excesiva frecuentación de la asonancia e-o (invierno, lelo, cielo, pequeño, colegio, cuerpo), pero, en cambio, ¡qué hermoso y sugestivo el uso de "lelo y frágil"!; el oportuno empleo de "garúas" (lloviznas), la adjetivación de "neta, rosa, fúlgida", cuya gradación revela una finísima manera de apreciar o sentir, o de sentir y apreciar el valor de los adjetivos y su fuerza sugestiva.

Todo el libro está lleno de hallazgos así, de giros expresivos, ricos, densos y germinativos. Al punto que *La casa de cartón*, la obra de un escritor veintiañero (cuando se editó) ha pasado a ser una de las clásicas de la literatura peruana de hoy.

Aumenta estos valores el hecho de que todo el relato se refiere al único paisaje, a la única realidad, a los únicos personajes conocidos por el autor: los de Barranco, balneario de Lima, y a Lima misma. Puede considerarse, aun dentro de su carácter de literatura absoluta, un libro de costumbres, pero de costumbres interiores, si pudiera decirse así, de interpretación y proyección lírica de los hechos cotidianos, de quintaesenciado criollismo, o de criollismo barroco, si cabe el término (que cabe desde luego).

Al mencionar la palabra "barroco" empezamos a rondar el verdadero tema. Él nos conduce no sólo a la poesía de "Martín Adán", sino también a sus concomitancias nacionales. Mas no se trata de un barroco estirado, solemne, sino de un barroquismo sonreído, apicarado. El humorista, calador de fondos, buzo de lo inesperado, dialoga a mal traer con el formalista abarrocado y barroquista. Oigámosle:

> Mi primer amor tenía doce años y las uñas negras. Mi alma rusa de entonces, en aquel pueblecito de once mil almas y cura publicista, amparó la soledad de la muchacha más fea con un amor grave, social, sombrío, que era como una penumbra en sesión de congreso internacional obrero. Mi amor era vasto, oscuro, lento, con barbas, anteojos y cartera, con incidentes súbitos, con doce idiomas, con acechos de la policía, con problemas de muchos lados. Ella me decía al ponerse en sexo: Eres un socialista. Y su almita de educanda da monjas europeas se abría como un devocionario íntimo por la parte que trata del pecado mortal.
>
> (*La casa de cartón*)

El párrafo es una delicia de elegancia, humor y atenuado lirismo. No es frecuente que escritor alguno antes de los veinte, domine de tal modo la prosa. Se requiere haber nacido en vena y de raza.

Por aquellos días, lanzado ya a la palestra literaria, gracias a un empujón que le dimos Mariátegui y yo, "Martín" entrega a la revista *UMSM*, una colección de sonetos sobre la rosa. Los escribió en competencia consigo mismo, en una especie de encuesta *pro domo sua*. Se titulan *Lección de la rosa verdadera* y van dedicados a un poeta de la generación anterior, a José Gálvez [2]. "Martín Adán" utiliza con fruición arcaísmos (*desparece* por desaparece, *redor* por alrededor o derredor, *cabe* por cerca o junto). El tercero de los sonetos puede ser citado a guisa de modelo:

---

[2] L. A. Sánchez, *Indice de la poesía peruana contemporánea*, cit., pág. 293.

> *La que nace es la rosa inesperada.*
> *La que muere es la rosa consentida.*
> *Sólo al no parecer pasa la vida*
> *porque viento sin Dios es la mirada.*
> *¡Cuánta segura rosa no está en nada!*
> *Si no hay más que la rosa presentida...*
> *Si Dios sopla en mi rosa —la vivida—*
> *cabe el ojo del ciego —rosa amada—.*
> *Triste y tierna, la rosa verdadera*
> *es el triste y el tierno sin figura,*
> *ninguna imagen a la luz entera.*
> *Mirándola deshójase el deseo,*
> *y quien la viere, olvida, y ella dura.*
> *¡Ay, es así la rosa y no la veo!*

Los estudios que emprende en seguida sobre lo barroco en el Perú, indican una rara constancia y una fineza crítica impresionantes. Se trataba de su tesis para el doctorado en Letras en la Universidad de San Marcos. Con exquisita intuición y perspicaz sentido de buceador de bibliotecas, Rafael de la Fuente examina las obras, para muchos ilegibles, de los escritores del Perú virreinal. Bajo la pluma de "Martín Adán", adquieren levedad los mazacotudos versos de Belmonte, Peralta, el Padre Valdez, el Padre Ayllón, y renuevan su agilidad Alessio, Caviedes y El Lunarejo. Los propios republicanos, Pardo y Segura se presentan vestidos de sorpresivos adornos. Pero, lo que impresiona más, al menos en lo que me toca, es que el autor traza una especie de autobiografía literaria a través de su estudio de los barroquistas peruanos. Y uno llega a la conclusión de que él es también un barroquista consciente, y que su familia espiritual se prolonga atrás, en el tiempo, y hacia adelante, y a los lados, pues barrocos son también, por su fruición en el lenguaje, su deleite en deformarlo y configurarlo, José María Eguren, César Vallejo, Enrique Bustamante y Ballivian, muy a menudo cierta prosa crítica de Valdelomar, y hasta la retórica de José Carlos Mariátegui y la elocuencia de Chocano, en las que palpitan o sobrenadan innumerables embelecos y artilugios retóricos, que enredan el pensamiento, lo sobredoran y enroscan, haciéndolo crespo como volutas y fúlgido como escamas, en una constelación zoológica de tierra y submar.

Esta definición barroca, esta predestinación barroca de "Martín Adán", en quien se actualiza la figura y el ademán de El Lunarejo, se advierte ya sin trabas en las décimas de *La rosa de la espinela* y, especialmente, en los laureados sonetos de *Travesía de extramares*, libro impar. Se subtitula "Sonetos a Chopín". Tiene una dedicatoria al poeta Alberto J. Ureta, quien fuera profesor de literatura de "Martín Adán". El *Leit motiv* uno de los primeros sonetos (p. 21) despliega ya el abanico de fantasías, rarezas y neologismos con que ha de singularizarse Martín, a la manera de un criollo *Finnegan's Wake*:

> No aquel Chopín de la melografía:
> Colibrí infalible en vahaje,
> o cumbrera y cabrío nel celaje
> o perspicuo piloto por sombría...
>
> —Mas el antiscio de su travesía:
> arena así, que ya brolla el miraje;
> o humana presa de selacio aguaje;
> o luna ahigada a flor de mediodía...
>
> —No la remera que roza la rosa,
> sino el otoño que bajó mi vida
> y pasmó mi melisma más mimosa...
>
> —¡Ay, en la arboladura talantosa,
> ni el alentar la lina rehenchida!
> ¡Mas ya... yo... muco que tajó la boza!

Nos enfrentamos a las características de un enloquecido cultor de un nuevo *Polifemo*, Martín Adán de Góngora y Argote. Primero los elementos musicales y hasta las buscadas cacofonías: imperio de la "c" en el verso tercero: "O cumbrera y cabrío nel celaje", en que, además, utiliza la contracción anticuadísima "nel" por "en el". Segundo: "Y pasmó mi melisma más mimosa", imperio de "m", como ensayaban los coloniales del siglo XVIII y alguna vez trató de imitar Rubén. ¿Juego por eso? No: borrachera silábica, embriaguez sonora, obsesión casi delirante de "Martín Adán". Por otro lado, los vocablos desusados y a veces inventados o derivados de raíces viejas: "vahaje", "perspicuo", "antiscio", "brolla", "selacio", que hacen recordar los iniciales versos de *Primero sueño* de Sor Juana. La repetición de sílabas afines prosigue en todo el libro: "colma colmena" (p. 23) "la miel incólume de mi amargura" (p. 24), "Amor, marfil y mármol maridales" (p. 27), "Inmune mano marfil malferido" (p. 28), etc. Los ejemplos podrían multiplicarse. El poeta vive obsedido de extrañas reminiscencias verbales, de una cierta ecolalia revestida, a Dios gracias, de méritos estéticos. En medio de esta locura monocorde a veces, cuya raíz esté acaso en la frecuencia con que entonces el poeta pagaba su tributo al Dios del vino, al punto de perturbársele mente y vida, aparecen sonetos de más claro sentido, de más reposado compás: significativamente, uno de ellos se titula *Calmato*:

> *Enséñame a posarme en mi pasado,*
> *y a reflejar el sino en mi persona,*
> *paloma real que, lúcida, raleona,*
> *pica y peina el astil desaliñado.*
>
> *—Dúo y fuego se apagó a su costado;*
> *más viso atiza, incierto, que blasona:*
> *A ciprés que acullá, como la Monna,*
> *sonríe, esmalte de tornasolado.*
>
> *—Tal, Alma Mía, la desesperada,*
> *con córnea cruel mullendo la tersura,*
> *tan dispuesta la sola: para nada...*
>
> *—La Mi Vida repasa tus poemas;*
> *la barba gris abrásase a tu cura.*
> *—¡Ya, Muerte Mía, ven y no me temas!*
>
> (pp. 33-34)

Son evidentes la intención poética, la fuerza típica, la desesperación privada de expresión cabal. Como a Joyce, a La Fuente le hace falta un instrumento nuevo, que conjugue sus sapiencias de alemán, castellano, inglés, francés y latín (Joyce redivivo), por cuya ausencia acuña palabras inesperadas: *sinterneza, gelo, esciente, tris, panspermia, proco, ninfácea, desmira, cantil, vernal, pace* (por paz), *pecio, natios, velantes, agógico, glisándome, cor* (por corazón). Esta última palabra pone de manifiesto la influencia de Eguren, resucitador de arcaísmos y forjador de extranjerismos: decía *nez* por nariz, *celestia* por celestial, tal como Martín usa *cor* de *cuore* o de *coeur*, por corazón. Sabemos que "Martín Adán" vivió a la vera de Eguren, en el mismo pueblo y bajo el mismo signo de admiración devota.

Sólo que "Martín Adán" se ciñe a lo clásico, en un afán de mostrar su dominio idiomático y su salud gramatical. No siempre consigue que sus sonetos, comenzados con escultórica perfección, terminen en un desgarro melódico:

—Para morir vivimos diligentes;
y para ser, soñamos, constreñidos:
macerando memorias en olvidos,
y nombres triturando con los dientes.

Compone y echa el dios, y van las gentes
a sus tumbas con trenes y apellidos,
y troveros velantes y vestidos
tróvanlo tan virtuales, tan afluentes.

El soneto se desfleca en el final, pero basta lo transcrito para entender que preside su composición el recuerdo de las Coplas de Jorge Manrique, y que hay allí una respuesta implícita.

En el *Notturno* de la página 83 y en el *Presto agitato* de la 97, podrían hallarse reminiscencias del *Trilce* "vallejiano", reconstruido o reeditado en 1926, cuando Martín componía probablemente algunos de estos poemas, ya que en el libro van insertos los tres sonetos *Lección de la rosa verdadera* que salieron en 1928 y en *Amauta*. La impronta de Vallejo y la de Joyce se juntan al ánimo gramatical y semántico de "Martín Adán", ebrio de palabras y de algo más. Curiosamente, Martín y Vallejo coinciden en su regusto por los versos difíciles, por las declinaciones especiosas, por las adjetivaciones paramentales y caóticas.

No en vano pasa la vida. Los años cavan su surco en frentes, almas y temperamentos. "Martín Adán" se ha aquietado en cierta manera después de 1950; ha adquirido un tono clásico no exento de las figuras suprarrealistas de los buenos días de la adolescencia, ni de las violentas antítesis alma-materia que tanto ha repujado Neruda. Ha ganado en estatura y en previsto caos. Así, en *Escrito a ciegas*, que es una respuesta a unas preguntas de la escritora argentina Celia Paschiero, el poeta confiesa en equilibrado desorden y prelineadas antítesis:

> *¿Quieres tú saber de mi vida?*
> *Yo sólo sé de mi paso,*
> *de mi peso,*
> *de mi tristeza y de mi zapato.*
> *¿Por qué preguntas quién soy,*
> *adónde voy?... Porque sabes harto*
> *lo del Poeta, el duro*
> *y sensible volumen de mi ser humano,*
> *que es un cuerpo y vocación,*
> *sin embargo.*
> *Si nací lo recuerdo el Año,*
> *aquel de quien me acuerdo,*
> *por qué vivo, por qué me mato.*

En la confesión, encerrada en el poema, afloran afirmaciones y sugestiones de extraordinaria hondura y belleza. Podríamos antologizar unas cuantas:

> *Entonces te diré que mi vida*
> *que no es más que una palabra más...*
> ....

Si quieres saber de mi vida,
vete a mirar el Mar
¿por qué me la pides, Literata?
....

La cosa real, si la pretendes,
no es aprehenderla sino imaginarla.
Lo real no se lo coge: se lo sigue...
....

Soy un animal acosado por su ser
que es una verdad y una mentira
....

Yo buscaba otro ser,
y ése ha sido mi buscarme.
Yo no quería ni quiero ya ser yo,
sino otro que se salvara o que se salve,
no el del Instinto, que se pierde,
ni el del Entendimiento, que se retrae.
....

Mujeres que se me juntan como la pared,
y como nadie... o como la madre.
....

No soy más que una palabra...
....

Aunque el verso sea libre, mantiene el imperio de ciertos ritmos originales, consuetudinarios, inexorables. Un lector tan atento lleva impregnado en el oído la música ancestral del verso clásico, y así utiliza metros de siete, de ocho, de doce, de once, de diez, de nueve, indistintamente, pero dentro de una progresión de veras impresionante. Al margen de tales formas, el poeta se exaspera, trata de verter su esencia y llega a la amarga conclusión de que el ser se le evapora en la única verdad de la palabra. El nombre que es todo. El nombre que condena al ser. El ser que se refleja en la palabra. Una metafísica del vocablo, una lexicolatría vitanda persigue a quien se enamoró de la lexicología. Para librarse de ello, contrapone términos incompatibles, mas lo peor es que, juntados por su varita de demiurgo, los opuestos adquieren homogeneidad, y se funden en una sola imaginería, en una tenaz y trágica evocación de lo que puede ser.

En esta ruta exasperada, delirante y, sin embargo, lúcida, "Martín Adán" escribe el poema *La mano desasida* que es su canto a Macchu Picchu, la estupenda ruina incaica. Conozco unos ochocientos versos, en que se mezclan notas autobiográficas verbales, poesía y vida, a veces a ras de tierra, a menudo a flor de cielo, pero siempre poéticas hasta cuando decaen. Ese poema y el de *Eloysius Ackerman,* extraviado hace treinta años, retratan la atormentada efigie del más barroco, surrealista y desesperado poeta y prosista que le ha nacido al Perú en este siglo. Y también el más consciente del instrumento que maneja, el más racionalista al par que intuitivo y arbitrario de los escritores del Perú —y acaso de América— contemporáneo.

L

EMILIO BALLAGAS

(Camagüey, Cuba, 7 noviembre 1908 — La Habana, 11 setiembre 1954)

Enjuiciar y aun meramente evocar la figura de Emilio Ballagas, implica enfrentarse a la evolución de la poesía en Cuba, durante el tercero y el cuarto decenio de este siglo. En Ballagas se concretan tendencias aparentemente inconciliables, que, sin embargo, por arte de una estupenda pureza lírica, se conciertan en virtud de una especie de trasmigración literaria.

Como todo poeta de Cuba, Ballagas tuvo sus raíces en José Martí y, desde luego, en Rubén Darío. Por la misma circunstancia, se nutrió de tres fuentes o descansó sobre tres pilares: el negro y su magia, como en "Plácido" y más tarde Nicolás Guillén; el señuelo de Cuba y España, como en Uhrbach, Martí y Agustín Acosta, y el ensueño puro, flor de encantamiento, delicadeza y arrobo, como en Del Casal y más tarde en Brull, Florit y Lezama Lima. Podría decirse que, a causa de esta conformación tripartita, la de Ballagas habría sido una personalidad o una poesía dividida. Nada de eso. Sutil abeja, libó lo preciso y mejor de cada polen, para convertirlo en auténtica miel. Su poesía está constituida de matices y primores. Como en Góngora, lo popular adquiere en Ballagas calidades de sutilísimo artificio; como en Fray Luis, lo inaccesible se convierte en accesible. Arte poética de un acabamiento excelente, interrumpido por la prematura muerte.

Emilio Ballagas vino al mundo en Camagüey, noble y campesina ciudad del centro de Cuba, donde perduran arcaicas tradiciones y reinaba un ambiente de indiscutible señorío. Igual que casi todos los cubanos de más reciente data, en las venas de Ballagas se fundían sangre de españoles y criollos. Basta leerlo para percatarse de que, igual que Florit, vigila el ritmo de sus versos un alquitarado clasicismo hispánico, pero al mismo tiempo lo conmueve y exalta una incoercible palpitación cubana.

Era Ballagas, cuando le conocí en 1932, hombre de discreta estatura y fino perfil; tenía un rostro de angelote, los ojos grandes, la frente tersa, la boca un tanto sensual, muy bien dibujada, tímido el gesto, la voz suave. Había en él un algo de Ganimedes, especie de pequeño aprendiz de brujo. Acababa de publicar su primer libro, *Júbilo y fuga* (1931), que me entregó como excusándose: ya le habían crecido las alas a consecuencia de su maravillosa "Elegía por María Belén Chacón" inserta en el último número de la *Revista de Avance* (o sea, en 1930).

Formaba parte de un grupo de escritores de veinte años, en el que recuerdo a dos de los más grandes de la América de hoy: Eugenio Florit y Nicolás Guillén. La Habana vivía bajo el peso de una creciente opresión política, representada por el General Gerardo Machado. Los pilotos de *Revista de Avance* se habían visto forzados a desmantelar su cuadro literario: J. Mañach estaba recluido en su bufete de abogado, Juan Marinello pasaba una breve estación en el presidio de Isla de Pinos; José Zacarías Tallet andaba de desocupado público número XI; Félix Lizaso y Francisco Ichazo trataban de sortear el huracán; don Fernando Ortiz vivía en el exilio; parpadeaba próxima ya al ocaso la luminaria de don Enrique José Varona, ejemplo de firmeza en el pensamiento y de dignidad en la conducta; acababa de morir Rubén Martínez Villena. El grupo "minorista", constituido por intelectuales y universitarios de diversa procedencia ideológica, se hallaba en plena diáspora. Grumetes evasivos por lo ágiles, Florit, Ballagas, Guillén (entonces nada extremista) podían asomarse a la ribera sin ocultar su peligrosa identidad como escritores [1].

A poco de la caída de Machado, en 1933, Ballagas inició sus primeras salidas de Cuba. Insigne cultivador de la lengua castellana, tanto como de la inglesa y la francesa, estaba equipado para surtidas empresas de traducción exacta y decantamiento estilístico. Por aquellas vías se había acercado al corazón de las literaturas europeas. Fue un conferenciante afortunado aunque monocorde. Visitó Europa, Estados Unidos y Sudamérica. Como en esos días entraba en circulación la poesía negrista, de cuyo ritmo, no de su intención, ninguno de aquella generación cubana se evadió, Ballagas obtuvo rápida divulgación mediante su memorable *Cuaderno de poesía negra* (Santa Clara, 1934), y la *Antología de la poesía negra hispanoamericana* (Madrid, 1935). A diferencia de alguno de sus coetáneos, Ballagas no quiso ser sino escritor, mejor dicho, no pudo ser sino poeta. Estaba enamorado de su oficio como de una misión, o sea que, las confundió y enalteció con sus habilidades de exquisito artista, de nemoroso artífice. El Premio Nacional que Ballagas obtuvo en 1951 significa muy poco en su peripecia personal y literaria. No fue él dado a aventuras de éxito fácil en ningún terreno. Su obra evoluciona, como su existencia, en un sentido de seriedad, de adustez, que no conflige con el lirismo, y así va acendrando

---

[1] Obras de Ballagas: *Júbilo y fuga,* poemas, Habana, La cooperativa, 1931; *Cuaderno de poesía negra,* Santa Clara, 1934; *Antología de la poesía negra hispanoamericana,* Madrid, Aguilar, 1935 (segunda ed., Buenos Aires, 1946); *Sabor eterno,* Habana. Ucar y García, 1939; *Nuestra Señora del Mar,* Habana, Fray Junípero, 1943; *Cielo con rehenes,* Habana, 1951; *Décimas para el Júbilo martiano,* Habana, 1953; *Obra poética,* Habana, Ucar y García, 1955. Sobre Ballagas: Ramón Guirao, *Órbita de la poesía afrocubana,* Habana, 1938; Cintio Vitier, *Cincuenta años de poesía cubana* (1902-1952), Habana, 1953; Cintio Vitier, prólogo a *Obra poética,* cit.; Juan Marinello, prólogo a Ballagas, *Júbilo y fuga;* Juan J. Remos, *Historia de la literatura cubana,* tomo III, Habana, Cárdenas, 1945.

su catolicismo hasta alcanzar niveles místicos, en la absoluta entrega de su albedrío personal y literario a la Virgen María, numen de su magnífica madurez.

Cintio Vitier ha escrito una lírica página de exégesis en torno de la poesía de Ballagas. Es, quizá, con el prólogo de Juan Marinello a *Júbilo y fuga*, lo más comprensivo y fino sobre el poeta. Sin embargo, cabe formular otros puntos de vista. A través de la recolección de *Obra poética*, asistimos al nacimiento y desarrollo del poeta desde 1925, cuando apenas cumplía los diecisiete, hasta su final. Se advierte en todo momento una sostenida delicadeza, interrumpida de tarde en tarde por innecesarias evasiones hacia el realismo. Así resulta de la curva manifiesta en los poemas que va de los insertos en *Antenas*, de Camagüey, entre 1925 y 1929, es decir, entre los diecisiete y los veintiún años del poeta, hasta las décimas en homenaje a Martí, que, no por ser décimas, adolecen de vulgaridad. Desde luego, la inescapable impronta de Juan Ramón, tan pegado a Cuba, sobre todo desde 1939, aparece en toda la obra de Ballagas, tocado de artepurismo por presencia tangible del purísimo autor de *Laberinto, Jardines lejanos* y *Platero y yo*.

Pero Ballagas va más allá, en la procura de perfección formal, al punto de que podría identificársele con un Rimbaud o un Gustave Kahn, cuando se esfuerzan por dar a los vocablos y a las letras que componen los vocablos, una significación trascendental y hasta mística. He aquí el juvenil "Poema de la ele" (*Júbilo y fuga*):

> *Tierno glu-glu de la ele,*
> *ele espiral del glu-glu.*
> *En glorígolo aletear:*
> *palma, clarín, ola, abril...*
>
> *Tierno la-le-lo-li-lu,*
> *verde tierno, glorimar...*
> *ukelele... balalaika...*

*En glorígolo aletear,
libre, suelto, saltarín,
¡tierno glu-glu de la ele!*

Las palabras "glorimar", "glorígolo", como antes "verde júbilo", y las trilladas, pero reamanecidas "pleamar", "amapola", "sandalia", indican no solamente exquisitez y blandura, sino también pluralidad; la diáfana pluralidad de un escanciador de palabras y matices. Este enamoramiento de los términos, esta locura cuasi religiosa por el léxico, se revela mejor en el poema "Jícara", donde, ya en 1931, se define una innegable tendencia a eso que Mariano Brull (otro cubano) y Alfonso Reyes, llamarían la "jitanjáfora".

*¡Qué rico sabor de jícara
gritar: "Jícara"!*

*¡Jícara blanca,
jícara negra!*

*Jícara,
con agua fresca de pozo,
con agua fresca de cielo
profundo, umbrío, redondo.*

*Jícara con leche espesa
de trébol fragante —ubre—
con cuatro pétalos tibios.*

*Pero... no, no, no,
no quiero jícara blanca ni negra.*

*Sino su nombre tan sólo,
—sabor de aire y de río—,*

Jícara.

Y otra vez: "Jícara".

Está dicho todo. La poesía de Ballagas revela sin duda un pleno y absoluto gozo de la expresión, un acabado deshuesamiento de la expresión, suma expresión de la expresión. No importa que de pronto deje asomar ripios o tópicos como aquello "a mis pies apaciento rebaños de sueños", que parece un giro trivial, tal la exigencia del lector ante versificador tan depurado. A éste se le perdonarán no más que sus aciertos. Transcribamos "Canción", para iluminar mejor el asunto:

> *Desato mis sentidos en la tarde*
> *a pastar la inocencia del paisaje.*
> *Mis pupilas inquietas van de viaje,*
> *mis canciones taladran lejanías.*
> *Y regreso —halconero de mis sueños—*
> *al hogar de la noche con mi caza.*

En otra estrofa —una de las que conforman el poema— "Las siluetas", desliza esta magnífica:

> *Las siluetas de aceite*
> *en la atmósfera —agua—*
> *agitan sus flagelos*
> *informes. Ritmo tardo.*

A tal altura del alquitaramiento verbal, e imaginero, le asalta otra forma de lo mismo, la tentación afrocubana, que en esos días, allá por 1929, inician José Zacarías Tallet y Alejo Carpentier, y que irían a perfeccionar, decantar y propagar, poco más tarde, Luis Palés Matos, de Puerto Rico, y Nicolás Guillén, de Cuba. Es la época de la "Elegía de María Belén Chacón" inserta en el *Cuaderno de poesía negra*, después de haber conquistado la fama en la *Revista de Avance*. Compararla con "La rumba" de Tallet resulta ahora tópico, sin embargo necesario:

María Belén, María Belén, María Belén
María Belén Chacón, María Belén Chacón, María Belén Chacón
con tus nalgas en vaivén,
de Camagüey a Santiago, de Santiago a Camagüey.

En el cielo de la rumba
ya nunca había de alumbrar
tu constelación de curvas.

¿Qué ladrido te mordió el vértice del pulmón?
María Belén Chacón, María Belén Chacón...
¿Qué ladrido te mordió el vértice del pulmón?

Ni fue ladrido, ni uña,
ni fue uña ni fue daño.
La plancha de madrugada fue quien te quemó el pulmón:
María Belén Chacón, María Belén Chacón...

Sigue el poema con este ritmo entre épico, elegíaco y vulgar, que es la triple coraza o efigie de la aristocracia. De esta etapa de la obra de Ballagas, lo más conocido —y tierno— es su "Para dormir a un negrito", poema adocenado por el mucho uso, pero rebosante de escondidos tesoros, hasta en su imitativo vocabulario popular:

> Dórmiti mi nengre,
> dórmiti nengrito.
> Caimito y merengue,
> merengue y caimito.
>
> Dórmiti mi nengre,
> mi nengre bonito.
> Diente de merengue,
> bemba de caimito.
>
> Cuando tu sía glandi
> va a ser bosiador...
> Nengre de mi vida,
> nengre de mi amor...
>
> (Mi chiviroquí,
> chiviricocó...
> Yo gualda pa ti
> tajá de melón)...

Prosigue de esta manera la canción de cuna. Otros poemas de tal estirpe llenan el *Cuaderno*. No hay en ello ninguna intención política, ninguna demagogia racista, ninguna acrimonia, ni protesta: con humildad y dulzura Ballagas enumera, pinta, evoca, describe, presenta, sugiere, recapitula y siempre canta. Sus negros padecen porque es ley de la vida padecer, y gozan porque es también ley de la vida gozar, y cantan porque es ley del negro, eso sí, ley del negro, cantar. Las onomatopeyas aparecen, con moderación, sin sombra de ningún ritualismo ñáligo, como eco o proyección de un criollo tropical, color de canela y de unas criollas, ellas, cinturas de vaivén. Lo sorprendente es que poeta tan pudoroso y alto sintonice su melodía con la del son y la rumba. ¿No encontramos, por ejemplo, en *Piano* mucho de lo que será sistema en *Sóngoro cosongo* y *Poemas de son* de Guillén? Bastará transcribir esta cuarteta de Ballagas:

> *Me están quemando la sangre*
> *los soles de tu garganta.*
> *Es raspadura batida*
> *el son caliente que cantas.*

La evolución operada entre estos versos y los de *Sabor eterno* (1939) señalan el máximo acendramiento de un artista, cuya abstracción aumenta en la medida que aumenta su hondura y se esfuma su figuratismo. En adelante, Ballagas confiará solamente en el valor mágico de las palabras, pero desprovistas de sonoridades excesivas, apoyadas en su propia esencia. Lo dirá, muy a lo Juan Ramón —y habrá huellas de Aleixandre y de García Lorca— en "Canción" a que pertenece el siguiente primor:

> *Canción que llega volando*
> *y que volando se irá,*
> *para llegar a otro labio*
> *que a cantarla volverá.*

Solfeos todos para alcanzar la dimensión metafísica de la *Elegía sin nombre*, comparable a unas *Soledades* de nuestro tiempo, por su ruptura con lo consabido y su descarte de lo innecesario.

> *Descalza arena y mar desnudo.*
> *Mar desnudo, impaciente, mirándose en el cielo.*
> *El cielo continuándose a sí mismo,*
> *persiguiendo su azul, encontrarlo*
> *nunca definitivo, destilado.*
>
> *Yo andaba por la arena demasiado ligero,*
> *demasiado dios trémulo para mis soledades,*
> *hijo del esperanto de todas las gargantas,*
> *pródigo de miradas blancas, sin vuelo fijo...*

La embriaguez irrealista del poema encuentra su eco, es decir, se duplica en *Retrato de tu voz*, nuevo primor evidente:

> *En tu armoniosa voz un grano herido*
> *que fue cisne, y por fin alza una rosa*
> *de ruiseñor risueño que soñara*
> *con una pausa musical de alondras...*

Difícil hallar léxico y tropos de más sutil y quintaesenciada sustancia. Ballagas alcanza entonces, a sus treinta y tantos de edad, la madurez espléndida de un Elliot, un Jiménez, un Saint-John-Perse.

Las décimas a la Virgen de la Caridad del Cobre, los sonetos de *Cielo en rehenes*, las nuevas décimas a José Martí, todo cuanto Ballagas tocó se convirtió en poesía, en alta poesía. Sus deliquios verbales resaltan por la vigorosa y leve estructura de imágenes y sinécdoques. Le vemos realizar milagros metafóricos con sólo infligir al verbo o al adjetivo inusitados acentos y matices, inflexiones de actitud, color o sonido. Se demuestran con súbita, deslumbrante nitidez en, por ejemplo, el soneto "Cielo en rehenes":

> *Te miro sin dejar de contemplarte*
> *copo de sol, espuma conjurada*

y abro mi corazón de parte a parte
para ofrecerte jubilosa entrada.

Comprendo que del caos fuera arrancada
la esbelta luz; ignoro por qué arte
pudo en un solo pétalo labrarte
con dedos leves el primor de un hada.

De nuevo el manantial de la belleza
echa a correr con sosegado porte
contando perla a perla su pureza.

Cielo en rehenes, majestad sin corte;
donde en alto fulgure tu cabeza
allí está el girasol, allí su norte.

La poesía de Ballagas corre parejas con la de otros exquisitos de Cuba —repito los nombres de Mariano Brull, Eugenio Florit, J. Lezama Lima—. Corresponde a una reacción y a una tendencia. La tendencia proviene de un carácter y un aprendizaje embridado, contenido, hecho de insinuaciones y suspiros; la reacción, acaso, a la de no admitir una poesía anecdótica y proclamera, por mucho que se disfrazara de lírica alegría y dolor multánime. Ballagas perpetra también, en su felizmente rápido turno, poesía negrista, descriptiva, borracha de consonancias internas, de onomatopeyas y ecos. Reacciona, repitámoslo, en nombre del sublime juego de *homo ludens,* de la armoniosa metafísica, de la incomparable y alta frivolidad de la poesía depurada, que no la hay pura aunque se afanen los abstraccionistas y expresionistas literarios. Barroco y popular, como Góngora (insisto en el símil), melodioso y abstracto como Valéry, sugestivo y narrador como Mallarmé, sutil y complicadamente simple como Jiménez, y tierno como Bécquer, y gran poeta como él mismo, Ballagas, cuya cifra no es una suma de influencias, sino una feliz rima con otros temperamentos, facetas del suyo; acongojado por una transcendental experiencia estética, trasunto, como siempre, de una conocida o ignorada, visible o invisible experiencia vital. En Ballagas, como en Lezama, Brull, Florit, Guillén, Del Casal, Uhrbach, Heredia, tiene Cuba una voz antes que una garganta; una inflexión antes que un acorde; un matiz antes que un color; un sueño, un celaje, un implacable olvido de lo inmediato; indispensable refugio en implacable olvido de lo inmediato: indispensable refugio en lo entrevisto e imprevisto, misteriosa región donde el hombre se cotea con el misterio, con su propio misterio, con su insondable e inexpugnable enigma.

ÍNDICE DEL VOLUMEN I

Págs.

I.	Amarilis	9
II.	Juan del Valle Caviedes	18
III.	Antonio José de Irisarri	39
IV.	José Milla y Vidaurre	53
V.	Nicanor Antonio della Rocca de Vergalo	67
VI.	Juan Antonio Pérez Bonalde	78
VII.	José Toribio Medina	86
VIII.	Vargas Vila	105
IX.	Julián del Casal	122
X.	Roberto J. Payró	131
XI.	Ricardo Jaimes Freyre	140
XII.	Carlos Reyles	151
XIII.	Amado Nervo	162
XIV.	Enrique González Martínez	182
XV.	Mariano Azuela	189
XVI.	Enrique Gómez Carrillo	202

ÍNDICE DEL VOLUMEN II

XVII.	Guillermo Valencia	7
XVIII.	Lopoldo Lugones	19
XIX.	Julio Herrera y Reissig	36
XX.	Florencio Sánchez	49

		Págs.
XXI.	Enrique Larreta	61
XXII.	Franz Tamayo	72
XXIII.	Alcides Arguedas	92
XXIV.	Horacio Quiroga	107
XXV.	Luis Carlos López	118
XXVI.	Fernando Ortiz y Fernández	133
XXVII.	Augusto D'Halmar	145
XXVIII.	Evaristo Carriego	155
XXIX.	Ricardo Miró	166
XXX.	Rafael Arévalo Martínez	175
XXXI.	Miguel Ángel Osorio	194
XXXII.	Rómulo Gallegos	209

ÍNDICE DEL VOLUMEN III Y ÚLTIMO

XXXIII.	Pedro Henríquez-Ureña	7
XXXIV.	Eduardo Barrios	28
XXXV.	Ricardo Güiraldes	42
XXXVI.	Ventura García Calderón	53
XXXVII.	Pedro Prado	66
XXXVIII.	Abraham Valdelomar (El Conde de Lemos).	78
XXXIX.	Ramón López Velarde	94
XL.	Gabriela Mistral	106
XLI.	Alfonso Reyes	119
XLII.	Juana de Ibarbourou	136
XLIII.	Luis Palés Matos	147
XLIV.	Medardo Ángel Silva	160
XLV.	Jorge Luis Borges	172
XLVI.	Jaime Torres Bodet	185
XLVII.	Pablo Neruda	196
XLVIII.	Gilberto Owen	214
XLIX.	"Martín Adán"	221
L.	Emilio Ballagas	235